자바 기반의
마이크로서비스
이해와
아키텍처
구축하기

자바 기반의 마이크로서비스 이해와 아키텍처 구축하기

ⓒ 2018. 박성훈 All Rights Reserved.

초판 1쇄 발행 2018년 10월 15일 **2쇄 발행** 2018년 11월 28일

지은이 박성훈
펴낸이 장성두
펴낸곳 주식회사 제이펍

출판신고 2009년 11월 10일 제406-2009-000087호
주소 경기도 파주시 회동길 159 3층 3-B호
전화 070-8201-9010 / **팩스** 02-6280-0405
홈페이지 www.jpub.kr / **원고투고** jeipub@gmail.com
독자문의 readers.jpub@gmail.com / **교재문의** jeipubmarketer@gmail.com

편집부 이종무, 황혜나, 최병찬, 이 슬, 이주원 / **소통·기획팀** 민지환 / **회계팀** 김유미
교정·교열 배규호 / **본문디자인** 성은경 / **표지디자인** 미디어픽스
용지 신승지류유통 / **인쇄** 해외정판사 / **제본** 광우제책사

ISBN 979-11-88621-41-5 (93000)
값 22,000원

제이펍은 독자 여러분의 아이디어와 원고 투고를 기다리고 있습니다. 책으로 펴내고자 하는 아이디어나 원고가 있으신 분께서는
책의 간단한 개요와 차례, 구성과 저(역)자 약력 등을 메일로 보내주세요.   jeipub@gmail.com

자바 기반의 마이크로서비스 이해와 아키텍처 구축하기

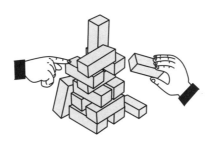

박성훈 지음

제이펍

차 례

CHAPTER 01 마이크로서비스 아키텍처의 이해

CHAPTER 02 클라우드 네이티브의 이해

지난 십수 년간 프로젝트 현장에서 훌륭한 개발자, 엔지니어들과 프로젝트 성공의 성취감을 느끼며 정신없이 바쁘게 지냈습니다만, 늘 아쉬웠던 것은 그들과 함께 고민했던 경험과 영감이 기억 저 한편에 자리만 잡고 기록으로 남지 않았다는 점입니다. 이 책은 그런 후회를 하지 않겠다는 마음에서 비롯된 결과물입니다.

시스템 구축을 위한 프로젝트는 성공이라는 목표를 향해 수백 명의 선원을 싣고 출항한 배와 같습니다. 아키텍처란, 바로 그 거대한 배가 망망대해를 무사히 순항할 수 있도록 방향을 제시하는 이정표와 같다고 할 수 있습니다. 프로젝트 현장에서 시스템의 체계와 표준을 정하고 환경을 구성할 때마다 느끼는 것은 '이것이 정말 맞는 방향일까?'라는 의구심과 혹여나 잘못된 판단으로 같은 배를 탄 동료들을 순탄치 않은 길로 안내하여 '고통의 시간을 안겨 주는 것은 아닐까?'라는 부담감입니다.

프로젝트 성공의 열쇠는 구성원들 간의 협업은 물론 과거의 성공했던 경험과 지식을 공유하고 각자의 역할에 충실히 완료하는 것입니다. 성공한 경험의 공유라는 측면에서 '마이크로서비스 아키텍처' 기반의 시스템 구축이라는, 익숙하지는 않지만 흥미로운 주제를 통해서 경험의 한 조각을 공유하려 합니다.

'마이크로서비스가 무엇인지?', '마이크로서비스 아키텍처는 무엇인지?', '최근 웹 애플리케이션 개발과 관련하여 어떤 기술들을 이해해야 하는지?', '스프링 프레임워크를 이용한 개발은 어떻게 하는지?', '개발을 위한 자바 패키지 구조는 어떻게 구성하고 빌드하는지?', 'Zuul, Eureka, Turbine, Hystrix와 같은 오픈소스는 구체적으로 어떻게 동작하고 어떻게 적용하는지?' 등의 질문에 관심이 있고 궁금해 하는 독자라면 이 책이 분명 많은 도움이 되리라 확신합니다.

마이크로서비스 아키텍처가 국내에서 회자된 지는 한참 전이었지만, 최근에 더욱 주목을 받게 된 것은 비즈니스의 변화 속도가 체감할 수 있을 정도로 이전보다 훨씬 빨라졌고, 민첩하게 대응할 수 있는 시스템 환경이 더욱 필요해졌기 때문일 것입니다. 이와 더불어 과거에는 구현할 수 없었던 사상들이 클라우드의 발전 덕에 가능하게 된 것도 한 요인이라 할 수 있습니다.

마이크로서비스 아키텍처는 비즈니스 변화에 민첩하게 대응할 수 있는 시스템을 구축하기 위한 아키텍처 접근 방법의 하나입니다. 마이크로서비스 아키텍처가 기존 시스템이 지닌 문제점 상당수를 해결할 수 있는 것은 주지의 사실이지만, 무조건 적용할 수 있는 것은 아닙니다. 단순한 기술적 접근을 넘어, 기업의 조직과 문화 등 기술 외적인 변화도 수반되어야 가능한 접근 방법이기 때문입니다.

마이크로서비스 아키텍처는 하나의 애플리케이션을 작게 분할 및 개발해서 독립적으로 배포할 수 있는 민첩하고 탄력적인 아키텍처 스타일입니다. 품질을 높이고 생산성을 높이기 위해서는 '관심사의 분리', '높은 응집도', '낮은 결합도'에 기반한 소프트웨어 설계와 개발이 이루어져야 합니다. 이는 소프트웨어 공학 이론에서 이야기하는 원리와 일맥상통하며, 또한 대부분 공감하고 이견이 없을 것입니다. 그런데 기업의 비즈니스를 서비스하기 위한 대부분의 웹 애플리케이션은 하나의 거대한 덩어리로 개발하여 운영하고 있습니다. 하루가 다르게 급변하는 비즈니스 환경에서 민첩하고 유연한 시스템을 구성하기 위해서는 하나의 큰 덩어리로 구성된 애플리케이션보다 응집력 있고 작은 조각의 애플리케이션이 상호 연결되는 구성이 더 유리한 시스템 구축 전략일 것입니다. 마이크로서비스 아키텍처가 바로 그 전략을 실현할 수 있는 접근법 중 하나입니다.

이 책을 읽는 독자들은 웹 애플리케이션의 개발 방식이 어떻게 변해 가고 있는지에 대한 방향성을 이해할 수 있을 것입니다. 조금 더 구체적으로는, 마이크로서비스 아키텍처의 전반적인 개념을 이해할 수 있고, 수록된 코드 구조를 참조하여 프로젝트 현장에 바로 활용할 수 있는 아키텍처 환경도 구성할 수 있을 것입니다. 부디 이 책을 읽는 독자들의 황금 같은 시간이 아깝지 않았으면 하는 바람입니다.

마지막으로, 책 출간까지 도움을 주신 많은 분께 머리 숙여 고마움을 전합니다.

박성훈

이 책에 대하여

- 이 책은 마이크로서비스 아키텍처 구축에 필요한 전반적인 지식과 자바 프로젝트의 패키지 구성 전략을 소개합니다.

- 마이크로서비스의 기획, 설계, 개발, 빌드, 배포까지 전체적인 흐름에 대한 이해를 돕는 데 초점을 두고 구성하였습니다.

- 마이크로서비스와 아키텍처를 분리하여 독자들이 명확한 개념을 가질 수 있도록 목차를 구성하였습니다.

- 마이크로서비스에서는 마이크로서비스를 만들기 위한 패키지 구성과 개발 방법에 대해 구체적으로 설명합니다.

- 마이크로서비스 아키텍처에서는 게이트웨이, 서비스 등록 및 감지, 모니터링 등 아키텍처 구성을 위한 방법에 대해서 구체적으로 다룹니다.

- 독자들의 이해를 돕기 위해 비즈니스 개발을 위한 구체적인 코드 수준이 아닌 아키텍처 측면에서 전략과 구성을 이해할 수 있는 수준의 코드로 예제 프로젝트 사례를 들어 설명하고 있습니다.

- 단순 이론이나 지식의 전달이 아닌 프로젝트에 적용할 수 있는 사례를 설명하였고, 동작 원리의 이해를 돕기 위해서 핵심적인 개념은 그림으로 표현하였습니다.

- 가상의 프로젝트인 '커피 전문점' 프로젝트를 통하여 최소한의 활용 가능한 코드만 수록하였습니다.

주요 내용

1장에서는 소프트웨어 아키텍처의 기본적인 내용을 소개합니다. 마이크로서비스 아키텍처를 이해하기 위해 근간이 되는 아키텍처, 아키텍처 스타일 등에 대해 전반적인 내용을 설명합니다.

2장에서는 클라우드 네이티브 애플리케이션, 아키텍처, 인프라 등 마이크로서비스 아키텍처 관련 기술들에 대한 용어와 개념들을 소개하고, 마이크로서비스의 구현 및 배포와 직접적인 관련이 있는 가상화와 컨테이너에 대해서 상세히 살펴봅니다.

3장에서는 마이크로서비스의 구체적인 내용과 구축 형태의 프로젝트에서 마이크로서비스를 기획하는 방법에 대해서 알아봅니다.

4장에서는 마이크로서비스와 마이크로서비스 아키텍처 설계 방법과 특징들에 대해서 '커피 전문점' 서비스 사례를 통하여 알아봅니다.

5장에서는 서비스 중심의 마이크로서비스를 만드는 방법과 데이터 모델링 중심의 마이크로서비스를 구현하는 방법에 대해서 알아봅니다.

6장에서는 마이크로서비스 아키텍처 구성과 관련 있는 SpringCloud의 Config sever, Zuul, Eureka, Turbine, Hystrix 등 오픈소스의 활용 방법에 대해서 알아봅니다.

7장에서는 마이크로서비스를 실행 가능한 압축 파일(jar, war) 및 도커 이미지로 빌드하고 배포하는 방법에 대해서 알아봅니다.

다운로드 및 A/S

마이크로서비스 다운로드

🏠 https://github.com/architectstory/msa-book.git

마이크로서비스 에코시스템 다운로드

🏠 https://github.com/architectstory/msa-architecture-config-server.git

🏠 https://github.com/architectstory/msa-architecture-eureka-server.git

🏠 https://github.com/architectstory/msa-architecture-zuul-server.git

🏠 https://github.com/architectstory/msa-architecture-turbine-server.git

🏠 https://github.com/architectstory/msa-architecture-hystrixdashboard.git

독자 A/S

✉️ architectstory@gmail.com 혹은 readers.jpub@gmail.com

제이펍은 책에 대한 애정과 기술에 대한 열정이 뜨거운 베타리더들로 하여금
출간되는 모든 서적에 사전 검증을 시행하고 있습니다.

🦋 김종욱(네이버)

마이크로서비스에 관해 이제껏 읽은 책 중 실무를 가장 많이 반영한 책인 것 같습니다. 실제 실무에서 이루어지는 과정이 책에 고스란히 녹아 있으며, 뿐만 아니라 도커 내용을 추가하여 훨씬 최신 트렌드를 지향한 배포 방식을 설명하고 있습니다. 이를 통해 독자들이 실무에서는 서비스의 과정이 어떤 식으로 이뤄지는지 간접적으로나마 경험하실 수 있을 것으로 기대됩니다. 전체적으로 책 내용이 정말 좋았습니다. 제가 근무하는 회사의 배포 프로세스와 이 책에서 언급한 배포 프로세스가 거의 유사할 정도이니 말입니다. 또한, 많은 책에서 언급하는 마이크로서비스 아키텍처 설계와 내용이 거의 흡사하여 놀라웠습니다. 아마도 최적의 방법은 하나로 수렴한다는 것처럼 이 책의 내용도 최적의 방법에 근접했기에 가능하지 않았나 생각합니다.

🦋 김진영(야놀자)

마이크로서비스 아키텍처를 실무에 바로 구성하기 위한 레퍼런스라기보다는, 스프링으로 개발한 경험이 있으며 마이크로서비스 아키텍처에 관심을 가지고 전체적인 흐름을 알고자 하는 분들에게 도움이 될 듯합니다. 실무에서는 문제 발생 시 영향도를 최소화하는 것이 주요 관심사 중 하나입니다. 그리고 이와 관련해서 마이크로서비스 아키텍처가 상당한 관심을 받고 있습니다. 이 책은 "각각을 분할하여 서비스한다"라는 뜬구름 같은 개념으로만 알고 있는 분들이 실제로 마이크로서비스를 도입하고자 할 때 필요할 것 같습니다. 이 책에 이어 실무에서 바로 레퍼런스로 삼을 만한 책도 출간되었으면 좋겠습니다.

윤영철(SOCAR)

다양한 사용자의 요구사항을 충족시키기 위해 DevOps를 지향해야 한다는 압박을 받고 있다면 이 책에서 해결책을 찾을 수 있습니다. 기존의 모놀리스 아키텍처에서 마이크로서비스 아키텍처로의 변화 과정을 자연스럽게 이해할 수 있으며, 리눅스 환경에서 어떻게 구현되는지를 볼 수 있습니다. 도커를 시작하는 분들에게도 꼭 추천해 드리고 싶은 책입니다.

최희철

MSA를 위한 기반 지식 설명과 기존의 모놀리스 아키텍처와 비교하며 설명해 주고 있어서 이해하기 쉬웠습니다. 또한, 적절한 예제 사용과 실제 많이 쓰이는 스프링부트와 스프링클라우드를 이용한 예제를 담고 있어서 실습해 보기에도 좋았습니다. 아쉬운 점이 있다면, 실제 스케일 아웃을 해 볼 수 있는 예제도 있었더라면 나무랄 데가 없었을 것 같습니다.

황도영(NHN)

현재 MSA 도입을 꿈꾸고 있는 팀에 추천합니다. MSA에 대한 이해부터 시작해서 스프링클라우드 넷플릭스, 도커 등을 이용한 간단한 MSA 시스템 구축까지의 설명을 다룹니다. MSA 도입을 위해 무엇을 해야 할지 고민이라면, 이 책으로 빠르게 시작할 수 있을 것으로 생각합니다. 초반 개념 설명 부분에서는 추상적인 내용이 많아 다소 지루했는데, 중간쯤부터는 실제 어떤 라이브러리로 어떻게 아키텍처를 구성하는지를 설명하고 있어서 굉장히 흥미로웠습니다. 전반적으로 MSA가 무엇인지 맛볼 수 있는 MSA 입문서의 역할로 좋은 책인 것 같습니다.

허원철

마이크로서비스와 관련해서 알아 두면 좋은 개념들(도커, 젠킨스 등)을 조금씩 접해 볼 수 있는 책입니다. 단, 구축 방법이 자바의 대표적인 프레임워크인 스프링을 사용하므로 스프링을 아예 모르는 개발자들은 이해하기 어려울 수 있습니다.

마이크로서비스 아키텍처의 이해

1.1 소프트웨어 아키텍처의 이해

소프트웨어 아키텍처란 무엇인가?

소프트웨어 아키텍처의 정의

소프트웨어 아키텍처(software architecture)는 소프트웨어를 구성하는 요소와 요소 간의 관계를 정의한 청사진입니다. 이는 소프트웨어의 전체적인 구성 관계인 구성 요소와 구성 요소 간의 포함 관계, 호출 관계 등을 표현하여 소프트웨어 구성 전체를 조망하고 이해하는 데 유용합니다. 또한, 소프트웨어 설계자, 개발자, 사용자 등 소프트웨어와 관련된 이해관계자들이 기술 구조를 이해하고 논의할 수 있는 소통의 도구 역할도 합니다.

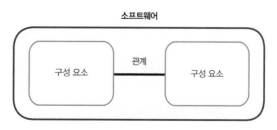

그림 1.1 **소프트웨어 아키텍처**

1

아키텍처의 표현

시스템과 관련된 이해관계자들이 시스템을 이해하는 수준은 모두 다릅니다. 아키텍처는 이해관계자들이 시스템을 조망하는 청사진이고 소통의 도구이기에 모두가 이해할 수 있는 언어와 수준으로 작성되고 공유되어야 합니다. 아키텍처를 표현하는 언어로서 UML(Unified Modeling Language)과 같은 표준화 모델링 언어를 이용하여 작성하는 것이 바람직합니다. 표준화된 언어를 사용하지 않으면 아키텍처를 표현하는 방법이 이를 표현하는 아키텍트(architect)들의 수준에 따라 다를 것이고, 생각을 표현한 설계도의 모습도 제각각의 도식과 표기법으로 작성되어 이해관계자마다 다르게 해석할 수 있기 때문입니다.

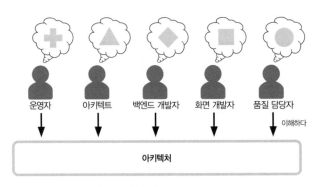

그림 1.2 **아키텍처 이해 수준의 차이**

그림 1.2에서 보는 것처럼 아키텍처를 바라보는 이해관계자들의 유형은 다양합니다. 시스템 운영자, 아키텍트, 백엔드 개발자, 화면 개발자, 품질 담당자 등 다양한 이해관계자가 각자의 관점에서 시스템을 바라봅니다. 따라서 아키텍처를 표현하기 위한 도식, 기호 및 용어들이 소프트웨어 공학에서 일반적으로 사용되는 용어의 형태가 아니거나 난해한 표현일 때 각자 나름대로 해석할 것입니다. 최근 시스템의 복잡도가 증가하면서 아키텍처를 표현하는 것은 설계만큼 중요한 일입니다. 이러한 이유로 아키텍처의 표현은 다양한 관점으로 접근하고 표현되어야 합니다.

소프트웨어 아키텍처에서 이러한 관점을 뷰(view)라 하고, 여러 관점에서 이 뷰를 표현할 방법들이 있습니다. 그중 대표적으로 4+1뷰가 있습니다.

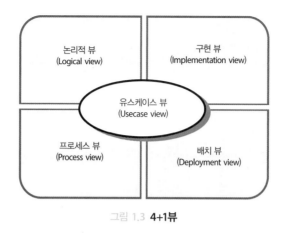

그림 1.3 **4+1뷰**

소프트웨어를 구성하는 요소들의 관계 구조는 논리 뷰(logic view) 형태로 표현할 수 있습니다. 소프트웨어 간의 동적인 흐름과 스레드(thread), 프로세스(process) 등의 동시성 처리는 프로세스 뷰(process view)로 표현할 수 있습니다. 논리적인 설계의 실제 구현된 측면에서 소프트웨어의 구성과 구조는 구현 뷰(implementation view)로 표현할 수 있습니다. 시스템에서의 소프트웨어의 배치는 배치 뷰(deployment view)를 이용하여 표현할 수 있습니다. 그리고 이들 뷰의 중심에 유스케이스 뷰(usecase view)가 있습니다. 유스케이스는 시스템의 사용 사례를 의미합니다.

앞서 설명한 네 가지 뷰는 사용 사례를 충족시키고 표현하기 위한 아키텍처 관점들입니다. 아키텍처 뷰는 시스템을 구성하는 소프트웨어들의 전체적인 구성과 구조를 상호배타적이면서 포괄적으로 이해하고 조망하기 위한 관점을 제시합니다. 뷰는 시스템과 관련된 다양한 이해관계자들이 소프트웨어의 구조를 쉽게 이해할 수 있게 다양한 관점을 제시하고 표현한 명세입니다.

아키텍처의 역할

소프트웨어 아키텍처는 건축공학에 비유하면 건축물의 뼈대이고, 도시공학에 비유하면 도시의 전체적인 구조라 할 수 있습니다. 경주의 불국사가 1,200년이란 세월이 지난 지금도 통일신라 시대 때의 모습을 잘 보존하고 있는 것은 몇백 년의 세월 동안 수많은 지진과 풍파에도 대응할 수 있는 아키텍처로 잘 설계되었기 때문입니다. 건축물이나 도시의 설계 과정에서 설계가 잘못되었을 경우, 건축이나 건설 이후에 이를 수습하기 위해서는 엄청난 노력과 비용을 치러야 하고, 많은 불편과 때에 따라서는 예상치 못한 위험에 직면하기도 합니다.

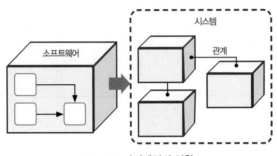

그림 1.4 **아키텍처의 역할**

소프트웨어는 건축물과는 다르게 형체가 있는 것이 아니고, 소스 코드들이 복잡하게 얽혀 있는 무형의 지식 집합체입니다. 물론, 코드라는 형체가 있지만 이를 사용하는 사용자는 코드를 보지 않습니다. 그렇기 때문에 더욱 정확하고 명확하게 설계되어야 하고, 잘 정리되어야 합니다. 소프트웨어 아키텍처는 폭넓은 시각과 사례를 기반으로 설계되어야 하고, 전문적인 역량을 가진 집단이나 해당 분야 전문가들의 고민과 노력이 뒤따라야 합니다. 소프트웨어를 구성하는 단위 프로그램의 로직(logic)을 견고히 만드는 것만큼이나 프로그램들을 연결하고 안정적으로 운영하기 위한 전체적인 뼈대를 설계하는 것이 무엇보다 중요합니다. 가끔 우리는 이러한 점을 간과하고 소프트웨어의 기능적인 측면만을 생각하여 전체적인 동작이나 성능이 만족스럽지 못하거나, 최악의 경우에는 정상적으로 동작하지 않는 경우도 경험합니다. 수백 명의 개발자가 참여한 프로젝트에서는 아키텍처의 결정이 시스템의 성능을 좌우할 뿐만 아니라 이를 개발하는 개발자들의 수고를 더하거나 덜 수 있습니다.

오케스트라에서 한 사람 한 사람의 연주 실력이 뛰어나야 하는 것은 당연하겠지만, 훌륭한 지휘자의 지휘와 연주자들의 연주가 아름다운 조화를 이룰 때 청중들에게 전해지는 감동은 더 크고 오래 남습니다. 이처럼 아키텍처 구성 요소 간의 역할 관계가 명확하고 효율적으로 구성될 때 탄력적인 아키텍처가 됩니다. 아키텍처는 시스템 품질 속성을 충족할 수 있게 설계되어야 하고, 비가시성을 최소화하기 위해 적절히 표현하여 소통의 도구로 활용해야 합니다. 이를 위해 여러 측면에서의 충분한 고민과 검토가 이뤄져야 합니다.

소프트웨어 아키텍처 스타일

스타일이란?

스타일(style)의 사전적 의미는 방식이나 형태입니다. 아키텍처의 스타일은 특정 제약 조건에서 아키텍처의 방향과 접근 방법을 말합니다. 일상생활에서 우리는 머리, 옷뿐만 아니라 사람의 성격을 표현할 때에도 스타일이란 용어를 사용합니다. 여기서 스타일의 의미는 자신을 잘 나타내는 특징이면서 어떠한 상황에 잘 어울릴 수 있는 방식이나 형태입니다.

건축물의 사례를 보면 그 의미를 쉽게 이해할 수 있습니다. 주택, 빌라, 아파트, 빌딩 등은 여러 가지 건축 스타일입니다. 아파트만 보아도 주거용 아파트와 상가가 함께 있는 주상복합 아파트 등으로 다양하고, 각각의 건축 방식과 공법도 다를 것입니다. 건축물들은 다양한 스타일을 갖고 있는데, 기후 같은 자연 환경과 문화, 생활 방식에 따른 다양한 조건을 수렴하여 설계합니다. 이를테면, 더운 지방의 집은 바람이 잘 통하는 구조로 설계하고, 추운 지방의 집은 방한과 일조량에 관심을 기울이고 집을 설계할 것입니다. 세계 여러 나라의 건축물은 제각각 특색이 있고, 환경과 문화 그리고 시대를 잘 반영합니다. 아키텍처 스타일도 이러한 의미로 받아들이면 쉽게 이해할 수 있습니다.

소프트웨어 아키텍처 스타일

소프트웨어 아키텍처 스타일(software architecture style)은 시스템 요건을 충족시키기 위한 제약 조건을 가진 아키텍처 측면의 접근 방법입니다. 아키텍처 스타일과 아키텍처 패턴을 흔히 혼용해서 사용하지만, 둘 사이에는 차이점이 있습니다. 앞서 설명했듯이 스타일은 상황을 해결할 수 있는 접근 방법을 제시해 주지만, 정답을 제시해 주지는 않습니다. 다만, 스타일에서 제시하는 접근 방법을 선택하면 그만큼 실패할 확률을 줄일 수 있습니다. 이에 반해 패턴은 시스템이 가지는 문제점이나 해결해야 할 문제의 구체적인 해결 방안을 경험적 사례를 기반으로 제시합니다. 즉, 스타일은 접근 방법을 제시하고, 패턴은 구체적인 해결 전술을 제시한다고 이해하면 됩니다

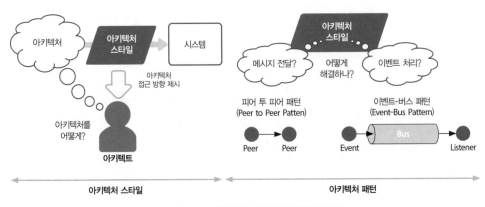

그림 1.5 **소프트웨어 아키텍처 스타일과 패턴**

앞으로 설명할 마이크로서비스 아키텍처도 기존 모놀리스(monolith) 애플리케이션 구조의 문제점을 해결하기 위한 접근 방법에 해당하는 스타일이라 할 수 있습니다. 아키텍처 스타일은 다양하고 스타일마다 특징이 있는데, 각 스타일의 특징을 이해하고 적절하게 적용하는 것이 좋은 아키텍처를 설계하는 방법입니다.

아키텍처와 아키텍트 역할의 변화

모놀리스에서 마이크로서비스로 변화

모놀리스한 아키텍처란, 모든 업무 로직이 하나의 애플리케이션 형태로 패키지(package)되어 서비스되고, 애플리케이션에서 사용하는 데이터 또한 한 곳에 모인 데이터를 참조하여 서비스하는 것이 일반적인 형태입니다. 하지만 비즈니스의 변화가 빠르고 수시로 애플리케이션을 변경해서 적용해야 하는 환경에서는 하나의 애플리케이션으로는 유연하게 대처할 수 없습니다.

모 제조회사의 대표적인 시스템 중 하나를 예로 들면, 생산 관리에 필요한 모든 기능이 1,000여 개의 프로그램(Java class)들로 만들어졌고, 단일 애플리케이션으로 패키지되어 배포할 수 있도록 설계되었습니다.

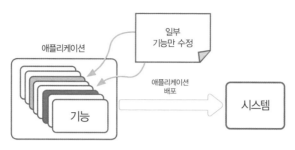

그림 1.6 **단일 애플리케이션 배포**

그림 1.6에서와 같이 단일 애플리케이션 중 일부 프로그램만 수정하려고 해도 관련 없는 기능들까지 단일 애플리케이션이 빌드되어 다시 배포되어야 합니다. 변경 배포에 따른 영향도를 파악하기 위해 직접 관련이 없는 많은 사람의 노력과 시간을 할애해야 합니다. 또한, 배포 시 서비스의 연속성을 위해 2중화, 3중화되어 있는 장비에 순차적으로 배포하고 재기동하는 시간이 수십 분에서 수 시간 정도 소요됩니다. 총 작업 시간을 따지면 배포하는 데 하루 대부분을 사용한다고 해도 과언이 아닙니다. 물론, 하나의 패키지로 관리하면 관리의 편리함은 있겠지만, 변화에 대한 민첩한 대응이 부적합한 구조임은 사실입니다.

과거 클라우드(cloud)와 PaaS(Platform as a Service) 같은 플랫폼 서비스가 지금 수준으로 서비스되지 않던 시절의 기준에서는 최적의 아키텍처 설계안으로 간주되었습니다. 하지만 지금은 과거와 다르게 서비스를 유연하고 안정적으로 운영할 수 있는 인프라 지원 기술들의 등장으로 서비스 설계의 접근 방법과 구축 운영 형태의 패러다임 전환이 일어나고 있습니다. 그중 하나가 마이크로서비스와 이를 위한 아키텍처입니다.

마이크로서비스를 간단하게 말하자면, 기존 모놀리스와는 달리 하나의 큰 애플리케이션을 아주 작은 애플리케이션으로 나누어 서비스하자는 사상입니다.

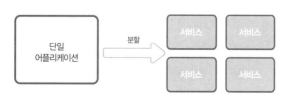

그림 1.7 **모놀리스에서 마이크로서비스로 변화**

마이크로서비스는 단일 애플리케이션이 가지는 단점을 해결하고, 민첩성과 유연한 시스템이라는 측면에서 분명 많은 이점이 있습니다. 빠르게 변해 가는 비즈니스 환경 변화에 민첩하게 반응하고, 필요할 때 수시로 서비스를 생성했다가 폐기할 수 있는 시스템 환경에서는 아주 유용한 접근법입니다. 과거 대부분의 웹 애플리케이션 구축형 프로젝트의 아키텍처 스타일은 모놀리스 형태로 구축되었습니다. 하지만 비즈니스 환경의 급속한 변화와 시스템의 규모와 복잡도의 증가로 모놀리스 형태로 더는 해결할 수 없는 새로운 기술적인 이슈들이 생겨나고, 이에 대한 고민이 이어졌습니다. 마이크로서비스 아키텍처 스타일은 그 이슈들에 대응할 수 있는 아키텍처적인 접근 방법의 하나입니다.

회색지대와 아키텍트

회색은 흰색과 검은색의 적절한 조합으로 흰색과 검은색에 모두 어울리는 색상입니다. 하지만 다른 측면에서는 흰색도 검은색도 아닌 애매한 색상이기도 합니다. 업무에서도 회색처럼 반반의 특성이 섞인 애매한 영역이 있습니다. 이러한 영역을 저는 회색지대라 부르겠습니다. 대내외의 크고 작은 시스템 통합 프로젝트를 수행하다 보면 업무 영역이나 기술적인 측면에서 담당자가 애매하거나 복잡한 이해관계자들의 의견 대립으로 결론 나지 않은 상태 혹은 무관심한 상태로 방치되는 영역이 있습니다. 결국 프로젝트 종반에 가서야 문제가 드러나서 많은 사람이 힘들게 문제를 풀어가는 경우가 많습니다. 프로젝트를 수행할 때 팀을 나누고 팀과 팀원의 역할을 정합니다.

그림 1.8과 같이 조직의 경계가 있고, 담당 업무나 만들어 내야 할 결과물이 있습니다. 물론, 그림 1.8은 예를 위해 모놀리스 애플리케이션을 구축할 때 참여했던 프로젝트의 일반적인 팀의 구성입니다. 항상 문제가 되는 부분은 조직과 조직의 경계입니다. 팀 간에는 경계가 있습니다. 그 경계가 아주 잘 접합되어 있으면 아무런 문제가 없지만, 그 경계의 접합부에 약간의 틈만 생겨도 문제가 발생합니다. 경계의 틈이 발생하는 원인으로는 조직 간 소통의 부재와 다른 조직의 역할과 결과물에 대한 인식 부족, 무관심 혹은 기술에 대한 이해 부족 등 여러 가지가 있습니다. 이러한 문제가 발생하지 않게 하기 위해서는 틈이 생기지 않게 영역을 중첩시켜 조직을 구성하면 되지만, 그 또한 쉽지 않을 것입니다. 조직을 구성하는 이해관계자들이 그 틈을 이해하지 못하거나 자원이 필요하기 때문에 쉽게 수용하지 못합니다.

그림 1.8 **회색지대**

기술적인 측면에서 팀 간의 틈을 메워 주는 역할자는 아키텍트 집단입니다. 물론, 저는 여기서 대형 시스템 통합 사업에 참여하며 느낀 지극히 주관적인 견해를 이야기하는 것입니다. 그림 1.8에서 생겨나는 회색 영역을 누군가가 모두 담당하면 앞서 말한 경계의 틈이 발생하지 않을 것입니다. 조직 간에 발생할 수 있는 기술적 이슈와 연결에 대한 해결과 중재, 결과물의 통합과 프로젝트 경계 밖의 요소와 연결하는 역할을 잘 수행하여 프로젝트를 성공적으로 이끄는 것이 이들 집단의 역할입니다.

아키텍트 역할의 세분화와 변화

아키텍트들은 프로젝트에서 활용되는 모든 기술 요소에 대해서 이해 수준이 높아야 합니다. 성공적인 프로젝트의 결과를 끌어내기 위해 모든 기술 요소에 대해서 소프트웨어와 하드웨어의 기술 구조를 이해하고, 활용을 위한 가이드를 배포하는 작업을 수행하기 때문입니다. 하지만 최근의 기술 발전 속도와 오픈소스의 발전 및 확장 속도를 보면 특정한 사람이 모든 영역의 기술에 정통할 수는 없습니다. 앞서 우리가 살펴보았던 모놀리스 형태의 아키텍처든 마이크로서비스 사상의 아키텍처 구조이든 간에 바로 이 부분이 아키텍트 역할에 대한 구분이 필요한 이유입니다.

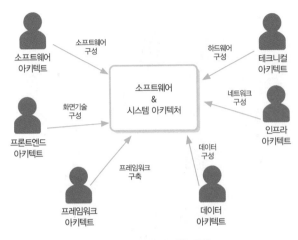

그림 1.9 **아키텍처 역할 유형**

그림 1.9와 같이 소프트웨어, 프론트엔드, 프레임워크, 데이터, 인프라, 테크니컬 아키텍트 등 아키텍트가 수행해야 할 역할에 대해서 보다 전문성을 가지기 위해 분류할 필요가 있습니다. 소프트웨어 아키텍트는 소프트웨어들의 구성과 구성 요소 간의 관계를 정의하고, 이에 적합한 솔루션들을 정하고 소프트웨어 측면의 청사진을 제시합니다. 프론트엔드 아키텍트는 화면 영역의 구현을 위한 각종 기술의 구조를 파악하고 적절한 프레임워크로 구성합니다. 프레임워크 아키텍트는 시스템에 적용된 프레임워크의 안정적인 구축을 위한 설정을 담당합니다.

국내에서는 웹 관련 프로젝트를 수행할 때는 스프링 프레임워크가 사실상의 표준처럼 사용되지만, 프레임워크의 종류가 많고 모든 종류의 프레임워크를 다 이해할 수는 없습니다. 그래서 선정된 프레임워크에 대한 높은 이해도를 가지거나 기업 자체의 프레임워크를 연구하고 개발하였다면 프레임워크 아키텍트라 할 수 있습니다. 데이터 아키텍트는 데이터에 대한 기획과 설계, 테크니컬 아키텍트 시스템 하드웨어의 구성 및 설치, 인프라 아키텍트는 네트워크 설계 등으로 그 역할이 분류됩니다. 물론, 표준처럼 정해진 역할이 아니라 조직의 구성과 시스템의 규모, 인프라 환경 상황에 따라 그 역할이 축소 또는 확대될 수 있습니다.

최근 클라우드 플랫폼의 발전으로 아키텍트의 역할이 어디까지인지 모호해지는 경향도 있습니다. 대부분의 정형화된 기능은 플랫폼에서 자동화로 제공하고 있기 때문입니다. 이러한 측면에서 아키텍트들도 전통적인 역할에서 벗어나 새로운 기술 패러다임에 맞는 생존 전략을 고민해 봐야 할 것입니다.

솔루션 아키텍트

클라우드, 인공지능(AI), 블록체인, 빅데이터 등 기술의 혁신이 빠르게 진행되고 있고, 혁신적인 기술을 도입하여 기업의 새로운 먹거리를 만들기 위한 기업의 노력도 가속화되고 있습니다. 기업 비즈니스에 필요한 효율적 시스템 운영을 위한 시스템 통합 사업은 과거 십수 년 동안 거의 모든 기업에서 차세대 시스템 구축이라는 명목으로 이루어졌습니다. 그렇게 구축된 시스템 위에서 혁신적인 서비스를 이어가기 위한 기술이 지속적으로 연구·개발되어 시스템에 적용되고 있습니다. 하지만 지금 시점에서 시스템 통합형 사업의 기술적 중재자 역할을 하였던 아키텍트들은 역할의 전환이 필요해졌습니다.

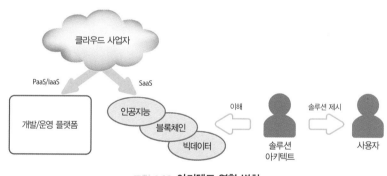

그림 1.10 **아키텍트 역할 변화**

세계적인 플랫폼 사업자들이 과거에 아키텍트들이 했던 대부분의 작업을 SaaS(Software as a Service), PaaS(Platform as a Service), IaaS(Infrastructure as a Service) 등 자동화된 기능으로 지원합니다. 예를 들면, 시스템 자원 구성, 할당, 관리, 모니터링, 소프트웨어 빌드, 통합, 배포 등 일련의 프로세스들을 몇 번의 버튼 클릭만으로도 자동화·시각화하여 플랫폼 기반의 서비스로 제공하고 있습니다. 서비스 내에 기능 단위까지도 SaaS형 서비스로 제공하기 시작하였습니다. 인증 권한, 로깅, 모니터링 서비스에서 AI, 블록체인, 빅데이터 서비스 등 전문 기술이 필요한 영역까지 비즈니스 서비스 기업들은 단 몇 분 만에 원하는 서비스를 만들 수 있고, 필요한 만큼만 사용하고 비용을 지급하면 되는 비즈니스·시스템 생태계를 조성하여 시장을 지배하고 있습니다. 이들 플랫폼 기업은 앞서 설명한 무수히 많은 서비스 형태의 솔루션들을 만들어 탑재하였고, 이러한 솔루션들을 기업의 필요와 상황에 맞게 잘 조합해서 제공하는 것이 구축하는 것보다 더 중요한 역할이 되었습니다.

아키텍트들도 기존 온프레미스(on-premise) 형태의 구축형 사업에서 요구하는 역할보다는 하루가 다르게 새롭게 만들어지는 기술 집약적 솔루션의 특징을 이해하고 조합할 줄 아는 능력을 더 요구받고 있습니다. 기술 중재자라는 측면에서의 역할은 같지만, 역할을 수행하는 방법 측면에서 바뀌고 있는 것입니다. 새로운 솔루션을 만드는 노력도 필요하지만, 하루가 다르게 쏟아져 나오는 솔루션을 이해하는 노력도 중요합니다. 비즈니스 환경에 민첩하게 대응하기 위해서는 새로운 솔루션들을 보다 빨리 습득하고 조합하여 효율적인 솔루션을 제시하는 것이 현명한 아키텍트의 역할입니다.

1.2 마이크로서비스 아키텍처

마이크로서비스 아키텍처의 이해

마이크로서비스 아키텍처의 개념

마이크로서비스 아키텍처(microservice architecture)는 마이크로서비스가 실행될 수 있는 아키텍처를 뜻합니다. 마이크로서비스, 즉 아주 작은 단위로 동작하는 서비스가 구동되도록 시스템 및 소프트웨어의 구성과 구성 요소 간의 관계를 정의한 아키텍처입니다. 마이크로서비스 아키텍처의 구성 요소는 서비스와 이를 실행할 수 있게 하는 여러 기술적 환경입니다. 마이크로서비스 아키텍처를 다시 한번 정리해 보면, 아주 작은 단위의 서비스들을 실행할 수 있도록 구성하기 위한 서비스 중심의 아키텍처입니다. 마이크로서비스 아키텍처는 소프트웨어 아키텍처 구성을 위한 하나의 스타일로 이해할 수 있고, 그 특성이 마이크로서비스로 이루어져 있다는 것입니다.

모놀리스 아키텍처와의 차이점

모놀리스 아키텍처 구조에서는 하나의 애플리케이션에 데이터가 연결된 구성이 일반적입니다. 애플리케이션의 크기가 클 경우 변경과 배포가 쉽지 않은 구조를 가집니다. 이에 반해 마이크로서비스 아키텍처는 서비스와 데이터가 분할되어 작은 서비스들이 여러 독립된 형태로 서비스를 제공하여 필요에 따라 서로 참고하여 사용되기도 합니다. 모놀리스 아키텍처와 차이점은 하나의 애플리케이션 형태가 아닌 분할된 다수의 서비스라는 점입니다. 애플리케이션 기능뿐만 아니라 데이터까지 분리하여 격리된 독립된 환경으로 구성되는 것이 가장 큰 차이점입니다.

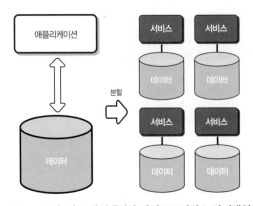

그림 1.11 **모놀리스 아키텍처와 마이크로서비스 아키텍처**

단일 애플리케이션 형태인 모놀리스 아키텍처로 구성된 시스템에서는 클라이언트 요청에 대한 처리 반응 속도가 아주 중요한 요소입니다. 데이터 조회에 대한 부하나 이를 처리하는 애플리케이션이 문제가 생긴다면 시스템이 동작하지 않는 결과를 초래합니다. 이에 대응하기 위해서 로드 밸런서, 2중화, 3중화, 백업 및 복구 방안이 아주 중요한 아키텍처 결정 사항이고, 환경 구성을 위해서 많은 시스템 리소스(resource)를 투자합니다. 온프레미스 형태의 구축형 프로젝트에서는 시스템이 받을 부하를 사전에 분석·예측하는 하드웨어 스케일업(scale-up) 과정과 애플리케이션의 빠른 대응과 데이터 조회의 성능 개선을 위한 튜닝(tuning) 활동 등이 아키텍트의 주요한 관심사였습니다.

물론, 마이크로서비스 아키텍처 구성으로 시스템을 구성하여도 이와 같은 문제와 고려 사항이 없어지는 것은 아닙니다. 하지만 마이크로서비스 아키텍처 구조에서 서비스의 수평적 확장에 유연성과 탄력성을 높여 성능적 이슈에 대해서 유연하게 대처할 수 있는 구조를 가집니다. 당연히 단일 애플리케이션 구조에서 보다 많은 서비스를 관리하는 문제로 서비스들을 관리하고 제어하기 위한 에코시스템(eco-system)*들의 역할이 아주 중요하고, 자동화·시각화가 잘 고려되지 않으면 오히려 운영 측면의 위험성(risk)은 증가합니다.

---

* 핵심이 되는 시스템과 상호작용하며 함께 발전해 나가는 관련 시스템

서비스지향 아키텍처

서비스지향

대규모 시스템 환경에서 업무 처리 단위를 각각의 서비스로 반영하여 데이터 중심이 아닌 전체 시스템을 서비스 중심으로 설계하는 아키텍처 스타일입니다. 마이크로서비스 아키텍처가 주목받기 이전부터 기업 환경에서 중복되는 프로세스나 업무들을 하나의 서비스 단위로 개발하여 각 서비스는 호출 가능한 상태로 개발하자는 노력이 계속되어 왔습니다.

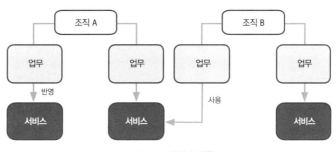

그림 1.12 **서비스지향**

서비스의 생성과 활용을 높여서 비즈니스 환경 변화와 업무 변화에 민첩하게 대응할 수 있는 아키텍처를 갖추기 위함입니다. 서비스지향 아키텍처의 몇 가지 특징에 대하여 알아보겠습니다.

첫 번째 특징은 서비스 계약입니다. 서비스 계약은 서비스와 서비스 소비자와의 계약을 뜻합니다.

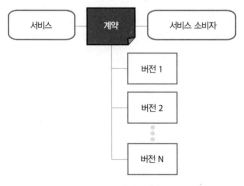

그림 1.13 **서비스 계약**

서비스는 약속한 기능을 수행해야 하고, 서비스 소비자는 서비스를 사용하기 위한 계약 규칙을 준수해야 합니다. 서비스 계약은 때에 따라서는 서비스 자체에 문제가 발생할 수도 있고, 서비스가 개선될 수도 있습니다. 그래서 계약은 여러 개의 버전을 가집니다. '버전 1'로 계약을 했는데, '버전 2'로 기능이 업그레이드될 수도 있는 것입니다.

두 번째 특징은 서비스의 가용성입니다. 서비스지향 아키텍처에서 서비스들의 가용성을 보장하기 위한 소프트웨어적인 방법으로 타임아웃 기능 구현을 제안합니다.

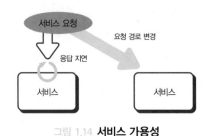

그림 1.14 **서비스 가용성**

일정 시간 동안 서비스 요청에 대한 반응이 없으면 기존 요청 경로를 차단하고, 다른 경로로 요청 경로를 변경하는 기능을 가동하여 서비스가 정상적으로 수행되도록 합니다. 정상적으로 동작하던 서비스가 문제가 발생하여 서비스 요청에 대한 응답 지연이 발생하면 정상적인 다른 서비스로 요청 경로를 변경하는 기능이 작동합니다. 이렇게 서비스 가용성을 유지하기 위한 방법을 서비스 라우팅이라고 합니다. 라우팅 기능을 L4/L7 같은 하드웨어 장비를 이용하여 구현할 수도 있고, 서킷 브레이커(circuit breaker) 같은 소프트웨어적인 기능으로 구현할 수도 있습니다.

세 번째 특징은 보안입니다. 서비스지향 아키텍처에서는 서비스 간에 호출이 발생할 수 있습니다.

그림 1.15 **서비스 권한**

서비스지향 아키텍처에서는 서비스들의 조합으로 상호 통신이 가능한데, 이때 하나의 서비스가 다른 서비스를 호출할 경우 별도의 인증 및 권한 확인 없이 바로 호출할 수 있는 구조가 되면 자칫 보안상 문제가 될 수 있습니다. 권한에 관한 제어권을 서비스 자체에 넘기면 이런 문제는 다소 해결됩니다.

네 번째 특징은 트랜잭션(transaction)입니다. 서비스가 분할되고 서비스에서 발생하는 트랜잭션들에 대한 일관성 유지입니다. 일반적으로 서비스지향 아키텍처에서는 성능상의 문제로 데이터베이스 읽기 전용 데이터 저장소와 데이터베이스 쓰기, 데이터 저장소를 분리·구성하도록 권고합니다. 읽기 수행의 지연으로 쓰기가 불가능한 상황은 발생하지 않을 것입니다. 하지만 쓰인 데이터를 읽기 위해서는 데이터의 이동이 필요합니다. 이 부분에서 데이터의 일관성과 실시간 동기화 이슈가 발생합니다.

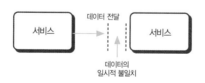

그림 1.16 **BASE 트랜잭션**

서비스지향 아키텍처에서 데이터베이스는 클라우드의 핵심 개념인 BASE(Basically Available Soft State Eventual Consistency) 트랜잭션입니다. 'basically available'의 대표적인 기술 메커니즘은 낙관적 잠김(optimistic locking)과 큐(queue)이고, 'soft state'는 외부 전달

데이터로 인해서 상태가 갱신되는 것입니다. 즉, 두 개의 노드가 있으면 한쪽에서 전달된 데이터로 인해 다른 한쪽의 노드가 갱신된다는 사상입니다. 'eventual consistency'는 두 노드의 데이터가 일시적으로 불일치한 시점이 있고 일관성이 없는 상태이지만, 결국에는 두 노드의 데이터가 같아진다는 개념입니다.

마지막으로, 서비스 관리입니다. 서비스들의 수가 많아지면 이들 간의 관계를 관리해야 합니다. 상황에 따라서는 서비스가 동적으로 증가하여 과부하나 오류 상황에서도 지속 가능한 서비스가 가능하도록 관리됩니다. 특정 서비스의 오류가 발생하면 자연스럽게 다른 정상적인 서비스로 요청 흐름의 변경도 가능합니다. 서비스의 상태는 항상 실시간으로 관리되고 시각화하여 모니터링할 수 있어야 합니다.

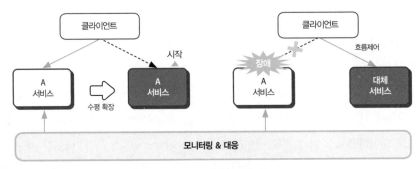

그림 1.17 **서비스 관리**

SOA와 마이크로서비스 아키텍처는 무엇이 다른가?

비즈니스 변화 대응을 위한 서비스 중심의 아키텍처라는 점에서는 공통점이 있지만, 서비스의 상대적 크기와 관심사, 오너십(ownership), 기술 구조에서 차이가 있습니다.

그림 1.18 **SOA와 마이크로서비스 아키텍처 공통점**

SOA와 마이크로서비스 아키텍처의 공통점은 소프트웨어를 설계할 때 서비스 중심의 설계를 지향하는 것입니다. 기능 중심의 모듈 재사용보다 상위 수준의 서비스 수준에서의 재사용성에 초점을 맞춥니다. 다만 SOA는 비즈니스 측면에서의 서비스 재사용성을 강조하는 반면, 마이크로서비스는 한 가지 작은 서비스에 집중하기를 강조합니다. 이외에도 SOA는 되도록 많은 서비스의 공유를 위해 ESB(Enterprise Service Bus)라는 서비스 채널을 이용하여 서비스를 공유하고 재사용하는 데 초점을 맞춘다면, 마이크로서비스는 되도록 서비스를 공유하지 않고 독립되어 실행되는 것을 지향합니다. 공유보다는 필요하면 만들고 필요 없으면 폐기하기 쉽게 만들어 시스템의 탄력성을 높이는 것입니다.

먼저, 서비스 상대적 크기와 관심사에서의 차이점입니다. 마이크로서비스 아키텍처에서 서비스는 작고 한 가지 일에 집중하는 반면, SOA 서비스는 비즈니스에 집중합니다.

그림 1.19 **서비스의 상대적 크기와 관심사**

과거 모 통신사의 CRM(Customer Relationship Management) 통합 구축 프로젝트에 참여했는데, 그 통신사의 여러 서비스 중에 '고객정보관리'라는 서비스 하나로만 구성된 것이 있었습니다. 물론, '고객정보관리' 서비스 하위에는 인적 사항을 관리하는 '인적정보관리'와 계약을 위한 '고객계약정보관리', 요금 수납/연체와 관련된 '고객빌링관리' 등의 업무들이 있습니다. 마이크로서비스 관점에서 접근해 보면 '고객빌링관리' 업무도 더 구체적으로 청구 조회, 등록, 수정, 삭제 서비스, 신용 정보 조회, 등록, 수정, 삭제 서비스 등으로 더 세분화하여 작은 서비스들로 구체화할 수 있습니다.

두 번째로, 서비스 오너십 측면에서 마이크로서비스는 하나의 작은 팀에서 관리합니다. 서비스의 개발에서 운영까지 오너십과 권한을 가지는 독립된 단위의 서비스입니다. 조직의 구성과도 관련이 있는 부분입니다.

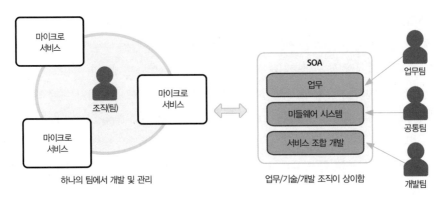

하나의 팀에서 개발 및 관리   업무/기술/개발 조직이 상이함

그림 1.20 **서비스 오너십**

마이크로서비스는 하나의 독립된 팀에서 개발하고 관리합니다. 반면, SOA의 서비스는 비즈니스 프로세스의 흐름과 관련된 서비스를 공유하기 위해서 중앙의 인프라 미들웨어에 탑재하고, 필요에 따라서 연결 및 조합하여 새로운 서비스를 만들어 냅니다. 이 과정에서 업무팀, 공통 기능 개발팀, 개발팀 간의 상호 협업이 반드시 필요합니다.

셋째로, 서비스 공유 정도의 차이입니다. 마이크로서비스는 서비스 공유의 최소화를 지향하는 반면, SOA는 되도록 많은 서비스의 공유를 지향합니다.

서비스 공유 최소화   서비스 공유 최대화

그림 1.21 **서비스의 공유 지향점**

마이크로서비스 아키텍처는 서비스 간의 결합도를 낮추어 변화에 능동적으로 대응하기 위한 민첩성에 초점을 두지만, SOA는 재사용을 높여 비용을 절감하고 품질을 높이는 데 초점을 둡니다.

마지막으로, 기술 방식의 차이입니다. SOA가 공통의 서비스를 ESB라는 공통된 채널에 모아 사업 측면에서 공통 서비스 형식으로 서비스를 제공하였다면, 마이크로서비스는 각각의 독립된 서비스가 필요에 따라 노출된 REST API(Application Programming

Interface)를 사용합니다.

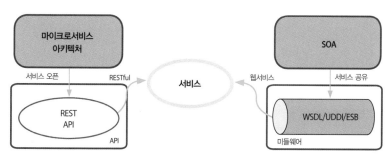

그림 1.22 **API와 미들웨어**

SOA는 흩어져 있던 같은 역할을 하는 서비스들을 통합하여 ESB에 담아서 필요할 때마다 사용할 수 있는 기술 구조이고, 마이크로서비스 아키텍처는 각각 흩어져 있는 서비스들의 통합 없이 각각의 서비스가 노출한 RESTful API 정보를 보고 필요할 때 호출하여 사용하는 것입니다. 결국 SOA는 통합과 공유, 마이크로서비스 아키텍처는 분산과 독립이라는 개념으로 구분할 수 있습니다.

서비스 메커니즘을 살펴보면 SOA는 통합된 서비스들을 UDDI(Universal Description, Discovery and Integration)라는 서비스 저장소에 등록하고, WSDL(Web Services Description Language)이라는 서비스 명세서를 공유합니다. WSDL에는 UDDI에 공유한 서비스의 명세가 담겨 있고, 이 명세를 참고로 해서 서비스를 사용하는 클라이언트는 'stub'이라는 클래스(프로그램)를 생성하여 서버와 SOAP(Simple Object Access Protocol)를 이용하여 통신하게 됩니다. 만약 WSDL의 명세가 바뀌면 이를 참조하는 모든 클라이언트 프로그램들을 바꿔야 하고, 변경이나 장애에 대한 결합도가 아주 높아집니다.

이에 반해 마이크로서비스 아키텍처는 클라이언트에서 서비스 제공자가 노출해 놓은 RESTful API를 보고 호출하여 받는 결괏값만 활용하므로 구현이 쉽고, 서비스 제공자가 제공하는 서비스의 인터페이스에 대한 변경 영향은 발생하지 않습니다. 서비스 제공자가 제공하는 결괏값이 다소 바뀔 수 있어도 그로 인한 영향도는 SOA만큼이나 결합도가 높지 않기 때문입니다. 마이크로서비스 아키텍처와 SOA는 아키텍처의 기술 구조와 다른 아키텍처 스타일이지만, 비즈니스에 민첩한 대응을 위한 아키텍처 구조와 아키텍처의 모습이 서비스를 지향해야 하고 이를 민첩하게 반응하기 위한 기술 메커니즘 관점에서는 같은 사상을 가집니다.

앞서 설명한 마이크로서비스 아키텍처와 SOA의 특징을 표 1.1과 같이 정리할 수 있습니다.

표 1.1 **마이크로서비스 아키텍처와 SOA 특징 비교**

구분	마이크로서비스 아키텍처	SOA
사상	서비스지향	서비스지향
서비스 오너십	조직(팀) 단위 자율성 부여	조직(팀) 간 협업
서비스 크기	SOA 대비 작음	마이크로서비스 아키텍처 대비 큼
서비스 공유 정보	서비스 간 독립	서비스 공유
서비스 공유 방식	API	서비스 공유를 위한 미들웨어
서비스 통신 방식	RESTful API 등	SOAP, WSDL, UDDI, ESB 등

왜 마이크로서비스 아키텍처인가?

민첩한 서비스

빠르게 변해 가는 비즈니스 환경에 능동적으로 대처하기 위해서는 기업의 비즈니스가 빠르게 구현되어야 하고, 이를 반영하기 위한 IT 인프라가 유연해야 합니다. 민첩한 서비스를 만들기 위해서는 서비스 단위를 아주 작게 만들어서 즉시 개발 배포하여 시장의 반응을 볼 수 있는 형태여야 합니다. 서비스를 기획하고 만들어서 즉각적으로 시장에 선보일 수 있다면 기업의 생산적인 활동을 위한 여러 시도가 훨씬 효율적이고 빠르게 진행될 수 있습니다.

기업의 조직이 세분되고, 각각의 조직이 자율적이고 독립적으로 서비스를 생성하고 배포할 수 있다면 보다 능동적으로 비즈니스 환경에 대처할 수 있습니다. 그렇다고 마이크로서비스가 기존의 덩치 큰 서비스를 효율적으로 개선하기 위한 만병통치약은 아닙니다. 다만, 서비스 크기를 작게 만들면 보다 빠른 변화의 요구에 능동적으로 대응되는 서비스를 생성 활용할 수 있는 이점은 분명히 존재합니다.

음식점의 경우에 가게를 연 지 얼마 되지 않은 주인 입장에서는 새로운 메뉴를 개발해서 사람들에게 시식을 제공하여 검증받고, 반응이 좋으면 해당 메뉴를 더욱 발전시켜 제공할 것입니다. 반대로, 사람들의 반응이 좋지 않으면 다른 메뉴를 개발하여 다시 선보이는 과정을 계속 빠르게 반복해야만 시장에서 살아남을 수 있을 것입니다. 만약 새로운 메뉴를 개발하고 선보이는 것까지 신중에 신중을 기해 준비했다 하더라도 사람들의 반응이 좋지 않다면 그동안의 노력과 시간은 무의미해집니다.

유연한 인프라

서비스 개발에서 배포, 운영까지 서비스의 확장이 자유롭고 관리가 쉬운 자동화된 인프라입니다. 서비스를 개발하는 아이디어도 중요하지만, 빠르게 서비스를 개발하고 선보일 수 있는 체계를 갖추는 것이 생존을 위해 훨씬 더 중요할 것입니다. 기업의 입장에서 이러한 체계는 문화적 환경과 방법론, 기술 요소들입니다. 즉, 기업의 문화와 적절한 방법론 그리고 이를 실현할 수 있는 기술적 인프라가 서로 조화를 이룰 때 마이크로서비스의 진정한 가치가 빛나는 것입니다.

Happy Path

마이크로서비스 아키텍처는 작은 서비스라는 점에서 필요한 서비스를 빠르게 개발하고 먼저 검증해 볼 수 있습니다. 이런 특성으로 'Happy Path'를 구현하기에 적절합니다. Happy Path는 서비스의 기본적인 사상을 실체화하기 위한 최소한의 작업 경로를 뜻합니다. 서비스 요건의 핵심적인 기능 중 최소 기능만을 도출하여 사용 사례를 기반으로 시나리오를 서비스로 만들어서 방향성 설정과 결과를 사전에 체감할 수 있게 하는 작업입니다. 이러한 작업은 아주 중요합니다. 실체화된 결과물이 없는 상태에서 추상적인 개념과 논리적인 이론을 바탕으로 이해관계자들끼리 소통하고, 서비스에 필요한 기능 요건을 식별해서 정의하기란 쉬운 일이 아닙니다.

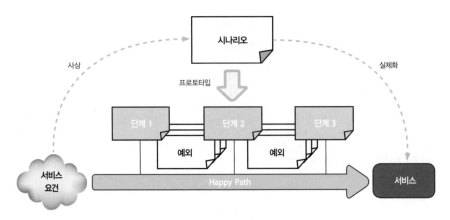

그림 1.23 **Happy Path**

그림 1.23과 같이 핵심적인 서비스 요건에 대해서 시나리오를 생성하고 시나리오의 프
로토타입을 만듭니다. 서비스가 만들어지기까지 여러 단계 중 예외 상황을 제외한 정상
적인 요건과 상황에서 핵심이 되는 최소한의 기능만 개발하여 서비스를 완성합니다. 이
러한 과정은 서비스 기능적인 측면에서 서비스 요건에 대한 이해가 깊어지고 기술적인
측면에서는 예상하지 못한 이슈들을 도출할 수 있습니다. 개념적으로 이해하고 소통하
던 부분들이 실체화된 결과를 가지고 논의할 수 있는 것입니다.

클라우드 네이티브의 이해

클라우드 네이티브(cloud native)는 클라우드 환경에 친화적인 애플리케이션(application), 아키텍처(architecture), 인프라(infrastructure) 등의 환경을 뜻합니다.

비즈니스를 위한 기술에서 기술에 의한 비즈니스로 패러다임이 바뀌었고, 그 배경에 클라우드 네이티브한 기술 환경도 패러다임 변화의 견인차 구실을 하고 있습니다. 마이크로서비스도 그중 하나라 할 수 있고, 그런 측면에서 마이크로서비스를 둘러싼 기술 환경에 대한 이해가 필요합니다. 이번 장에서는 클라우드 네이티브 기술 환경에 대해서 이해하고, 마이크로서비스와 직접적인 관련이 있는 도커(docker) 환경에 대해서 좀 더 상세히 알아보겠습니다.

2.1 클라우드 네이티브

클라우드 네이티브 애플리케이션

클라우드 네이티브 애플리케이션은 비즈니스 환경 변화에 민첩하고 능동적으로 대응하기 위해서 클라우드 네이티브 환경에서 SaaS(Software as a Service)나 FaaS(Function as a Service) 형태로 서비스되는 애플리케이션을 의미합니다.

그림 2.1 **클라우드 네이티브 애플리케이션**

마이크로서비스

마이크로서비스는 아주 작은 서비스이며, 클라우드 환경에 잘 맞는 서비스입니다. 클라우드의 대표적인 특징이 즉시성과 유연성이라 필요한 시점에 서비스를 즉시 사용할 수 있고, 서비스 간의 결합으로 또 다른 형태의 서비스를 만들 수 있습니다. 서비스가 작고 독립적일수록 서비스 활용 측면에서 더욱 민첩한 환경을 만들 수 있습니다.

예를 들어, 세계적인 클라우드 사업자인 아마존 SaaS 중 '알렉사(Alexa)'와 같은 서비스를 이용하여 인공지능 기능을 탑재한 서비스를 만들어 활용할 수 있듯이 서비스를 결합하여 새로운 서비스를 생성하기도 합니다. 이렇듯 서비스의 활용이 자유로워야 한다면 클라우드 네이티브 환경에 가장 적합한 애플리케이션의 특성을 가져야 합니다. 이를 충족할 수 있는 애플리케이션의 형태가 바로 마이크로서비스입니다.

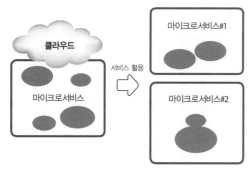

그림 2.2 **마이크로서비스**

마이크로서비스는 2주 안에 독립적으로 개발해서 배포할 수 있는 정도의 크기를 권고합니다. 결국, 서비스의 크기가 작고 레고 블록처럼 쉽게 조립할 수 있는 구조이면 서비스의 목적에 맞는 마이크로서비스의 개발 및 배포가 요청에 따라 적절히 확장되는 구조를 가질 수 있습니다. 클라우드 인프라 환경과 도커(docker) 등 컨테이너 환경이 발전하면서 마이크로서비스가 독립적으로 실행될 수 있는 격리된 환경과 서비스를 생성하고 삭제하는 것들이 이전에 비해 매우 쉽고 간편해졌습니다.

SaaS

소프트웨어가 필요할 때 즉시 필요한 만큼만 사용할 수 있는 서비스 형태의 소프트웨어를 SaaS라고 합니다. SaaS는 설치형 소프트웨어가 아니라 특정 기간 혹은 특정 기능만 필요한 만큼 구매하여 사용하는 주문형 소프트웨어 서비스입니다. 마이크로서비스는 SaaS형 애플리케이션 개발과 활용에도 최적의 서비스 형태라 할 수 있습니다.

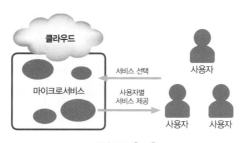

그림 2.3 **SaaS**

클라우드 인프라 환경의 발전으로 개발 및 운영에 필요한 인프라 장비와 플랫폼이 클라우드에 위치함에 따라서 반복적이고 자주 사용되는 서비스들은 SaaS처럼 공용화하여 서비스할 수 있는 환경이 되었습니다. 사용자 입장에서는 필요할 때 필요한 만큼만 신청해서 사용하고, 사용한 만큼만 비용이 발생하니 운영 비용에 대한 부담을 덜고, 즉시 사용할 수 있는 이점이 있습니다.

SaaS는 기존 모놀리스 환경의 애플리케이션 개발과는 다른 사상을 가지고 개발되어야 합니다. 기존 애플리케이션이 특정 사이트 혹은 사용자들의 요구 조건과 딱 맞는 형태의 맞춤형 애플리케이션이라면 SaaS는 불특정 다수의 사용자가 사용하는 온라인 서비스로서 가용성과 소스 버전의 관리가 중요한 특성으로 이를 고려해 개발해야 합니다.

12팩터*

12팩터(Factor)는 SaaS가 가져야 할 특성과 지켜야 할 패턴들에 대한 경험적인 내용을 잘 정리해 두고 있습니다. 클라우드 애플리케이션 플랫폼인 헤로쿠(Heroku)에 등록하여 사용한 애플리케이션의 활용과 관련해서 많은 사람의 고민과 경험을 12개의 항목으로 잘 정리하여 작성한 문서입니다. SaaS는 클라우드 네이티브 애플리케이션이고, 마이크로 서비스 개발과 운영을 위한 구현 방법으로도 좋은 모델이 됩니다. 12팩터의 핵심적인 내용을 간략히 알아보도록 하겠습니다.

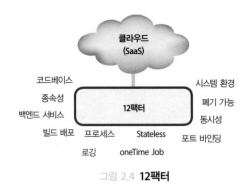

그림 2.4 **12팩터**

---

* https://12factor.net의 내용을 재해석하여 정리함.

[1] 코드베이스

하나의 애플리케이션은 하나의 코드베이스(codebase)를 가지고 버전으로 추적 관리되어야 합니다. 코드베이스란 원본 소스를 말하는 것이며, 컴파일되어 여러 단계(개발, 테스트, 운영 등)의 서버 환경으로 배포될 수 있지만, 소스 코드 저장소 내의 원천 소스는 하나를 가진다는 뜻입니다.

[2] 종속성

프로그램에 사용하는 라이브러리들은 암묵적인 종속성(dependencies)이 발생하지 않아야 합니다. 프로그램에 사용하는 라이브러리의 종속성은 명시적으로 선언하고, 선언된 라이브러리 이외의 종속성이 발생하여 오류를 유발하지 않아야 합니다.

[3] 환경 설정

코드에서 사용하는 환경 설정(configuration) 정보는 코드와 완전히 분리되어 관리되어야 합니다. 환경 설정 정보는 데이터베이스 연결 정보, 호스트명(hostname), 백엔드(back-end) 서비스들의 연결을 위한 리소스 정보 등이 될 수 있습니다. 예를 들면, 개발 서버, 테스트 서버, 운영 서버는 IP와 포트(port) 정보 등이 때에 따라서는 환경 변수로 이용될 수 있습니다. 코드가 실행할 때 환경 설정 정보들에 종속적이어서는 안 됩니다

[4] 백엔드 서비스

백엔드(back-end) 서비스는 모두 리소스로 취급합니다. 백엔드 서비스의 종류로는 데이터베이스나 메시지 큐(queue) 같은 시스템이 대표적이며, 연결하거나 분리할 때 애플리케이션 코드를 수정하지 않고도 연결할 수 있어야 합니다. 즉, 리소스를 자유롭게 추가하거나 분리할 수 있어야 합니다. 백엔드 서비스를 구별하기 위한 리소스 식별자는 URI(Uniform Resource Identifier)로 접근합니다.

[5] 빌드, 릴리스 및 실행

소스 코드는 빌드(build), 릴리스(release), 실행(execution) 단계로 분리되어 운영됩니다. 빌드는 코드 저장소에 저장된 코드를 실행 가능한 형태로 변환시키는 과정이고, 빌드 파일에 선언된 라이브러리는 종속성을 확인하여 라이브러리들이 결합하여 컴파일됩니다.

릴리스는 환경 정보를 포함하여 즉시 실행이 가능한 상태로 만드는 과정입니다. 실행은 런타임 환경으로 전환하는 절차입니다.

[6] 프로세스

프로세스(process)는 무상태(stateless)로 실행되며, 상태 정보를 공유하지 않아야 합니다. 상태 정보를 영구적으로 보관하려면 데이터베이스와 같은 저장소를 사용합니다. 현재 수행되는 프로그램의 실행에 집중해야 하고, 프로그램 실행에 필요한 데이터가 캐싱(caching)되어 다음 수행 때도 참조하지 않아야 합니다. 예를 들면, 웹 서버에 'sticky session'과 같은 설정은 하지 않아야 합니다. 'sticky session'을 설정하면 처음 접속한 경로를 다음에 접속해도 같은 경로로 접속하도록 유도합니다. 이러한 기능에 의존하지 말라는 뜻입니다. 세션(session) 정보 등은 유효한 기간을 두어 소멸시켜야 합니다.

[7] 포트 바인딩

애플리케이션은 하나의 독립된 서비스로 동작할 수 있고 외부에서 접속할 수 있게 포트를 이용해서 다른 서비스들과 구분하여 실행할 수 있습니다. 포트(port)로 바인딩(binding)되는 독립된 서비스들은 다른 서비스의 백엔드 서비스로도 활용이 될 수 있다는 것을 뜻합니다.

[8] 동시성(concurrency)

특정 서비스에 시스템 부하가 발생하면 하드웨어를 스케일업(scale-up)하여 수용 용량을 늘리기보다는 프로세스의 워크로드(workload)를 수평으로 확장하여 수평적 확장(scale-out)이 가능한 프로세스 모델 형태를 가져야 합니다.

[9] 폐기 가능(disposability)

그레이스풀 셧다운(graceful shutdown)이 보장되어야 합니다. 비정상적인 프로세스의 종료에도 실행 중이던 작업은 안전하게 종료되어야 합니다. 즉, 예상치 못한 시스템 상황에서도 대응할 수 있는 논리적인 메커니즘을 가져야 합니다. 또한, 프로세스는 즉시 시작되고 종료 가능해야 하고, 프로세스의 기동 시간은 최소화하고 시스템 종료 시에는 실행 중이던 작업이 안전하게 종료되어야 합니다.

[10] 개발, 테스트, 운영 환경의 일관성

개발 환경은 테스트나 운영 환경과도 최대한 같아야 합니다. 개발에서 운영까지 배포되는 시간, 담당자, 도구(tool)의 차이로 발생하는 문제를 최소화하고 지속적인 배포가 될 수 있는 환경을 만들 수 있습니다.

[11] 로그

로그(log)는 스트림 이벤트(stream event)로 취급하여 애플리케이션에서 로그 처리에 관여하거나 가공 및 관리하려 해서는 안 됩니다. 로그는 정해진 시작과 끝이 없고 애플리케이션이 실행되는 한 스트림으로 취급하여 흘려보내고 이를 수집 전달할 수 있는 오픈소스를 이용하여 관리해야 합니다.

[12] 일회성 프로세스

일회성 작업은 구분하여 별도의 프로세스로 구성합니다. 예를 들면, 관리자 관련 작업이나 유지 보수 관련 작업으로 생겨나는 프로세스들은 별도로 분리하여 구성합니다.

이상 12팩터에서 이야기하는 SaaS가 갖춰야 할 클라우드 네이티브 특성들에 대해 알아보았습니다. 마이크로서비스도 이러한 속성에 기인하여 개발한다면 클라우드 네이티브한 서비스가 될 것입니다.

FaaS

FaaS(Function as a Service)는 서비스의 수준을 기능 단위까지 세분하여 제공하는 기능 서비스입니다. 소프트웨어 수준보다 더 세분된 기능 단위로 개발하여 필요할 때 즉시 사용할 수 있고, 기능들의 조합을 통해서 새로운 서비스를 만들 수 있는 서비스입니다.

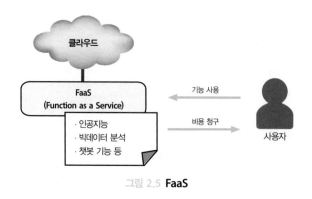

그림 2.5 **FaaS**

사용자는 개발자 혹은 일반 사용자일 수도 있습니다. 최근 클라우드 플랫폼 사업자들은 인공지능(AI), 빅데이터(Big Data) 분석, 챗봇(ChatBot)과 같은 서비스에 사용되는 기능들을 더욱 상세하게 세분화해서 서비스로 제공하고 있습니다. 개발자는 서비스에 필요한 추가적인 기능을 개발하여 플랫폼에 업로드할 수도 있고, 반대로 필요한 기능을 호출하여 사용하고 이에 따른 비용을 지급하면 됩니다. 이러한 서비스의 이점은 품질과 속도입니다. 직접 개발하지 않아도 되고, 동일 시간 똑같은 고민을 하는 누군가가 만들어 놓았을 결과물을 사용하면 됩니다. 더구나 많은 사용자로부터 검증된 서비스라 품질 측면에서 어느 정도 수준이 보장된다는 이점이 있습니다.

클라우드 네이티브 아키텍처

확장 가능한 아키텍처

클라우드에 최적화된 애플리케이션을 개발하고 운영할 수 있는 아키텍처를 제공합니다. 모놀리스 시스템 아키텍처 구조에서는 하나의 인스턴스(instance)에서 애플리케이션이 실행됩니다. 화면, 비즈니스 로직, 데이터 처리 로직 등이 하나의 인스턴스 위에서 동작합니다. 시스템에 부하가 발생할 때 인스턴스의 수평적 확장이 쉬운 구조는 아닙니다.

시스템 통합(SI, System Integration) 프로젝트 경우의 예를 들어 봅니다. 시스템 통합 분석 단계에서 업무와 관련된 기능을 개발하는 개발팀은 기능 요구 사항에 대한 해결 방안을 분석하고 설계하는 역할을 합니다. 이 시기에 아키텍처팀은 품질 속성에 대한 해결 방안을 모색하게 됩니다. 시스템의 전반적인 사용량과 요청 건수, 사용자 수, 트랜잭션,

시스템과 관련된 과거 지표들을 바탕으로 시스템의 용량을 산정하고 시스템을 설계합니다. 아키텍처 측면에서는 시스템이 오픈되었을 때 성능 측면에서 버틸 수 있는 적절한 사양을 가지기 위한 적정선을 예측합니다. 만약 예상했던 사양보다 더 많은 부하가 발생한다면 장애로 이어지므로 시스템의 구성을 이중화·삼중화하여 설계하고, 스케일업, 즉 메모리나 중앙처리장치 등을 증설하는 대책까지도 마련합니다. 모놀리스 구조에서 서버와 그 속에 포함된 소프트웨어를 복제하여 새로 구성하는 작업은 윈도우 폴더를 복사하여 붙여넣기하는 것처럼 단순한 문제가 아닙니다.

클라우드 네이티브 아키텍처는 시스템의 수평적 확장에 유연합니다. 시스템을 구성하는 소프트웨어들이 조각조각 마이크로서비스 형태이고, 필요에 따라 수평으로 유연하게 증가한다면 장애나 성능 초과 현상에 대한 대응책들이 아주 쉽게 설계되고, 비용도 적게 들 것입니다. 시스템의 수평적 확장에 대한 유연한 구조는 서비스의 연속성 보장과 관련이 있습니다. 확장된 서버로 자연스럽게 시스템의 부하가 분산되고, 가용성이 보장되는 것입니다. 수평적 확장 방법에서는 별도의 설정과 시스템의 재기동 없이 서버의 상태를 인지하고 모니터링 되어야 합니다. 마이크로서비스 단위까지 서비스의 상태가 확인되어야 합니다.

탄력적 아키텍처

탄력적 아키텍처(resilience architecture)란, 서비스 생성-통합-배포, 비즈니스 환경 변화에 대응 시간을 단축, 오류를 예측하고 적절히 대응할 수 있는 아키텍처 구조입니다. 분산 병렬 처리, 수평적 확장, 무상태 통신 방식, 오류를 예측하여 실행 상태를 유지하기 위한 자동 복원 능력이 지원되어야 합니다.

모놀리스 시스템 환경에서는 예기치 못한 시스템 부하나 오류 및 장애에 대처하기 위해 스케일업에 중점을 둔 아키텍처와 백업 및 복구에 대한 시스템적 메커니즘을 고려하였습니다. 시스템 성능의 수직적 임계치를 사전에 예측하여 그에 부합하는 하드웨어 사양을 산정하고, 만약에 있을지 모르는 장애 상황에 대비하여 재해 복구 시스템을 구축하고, 장애 시 서비스 재가동까지의 시간을 최소화하는 데 초점을 두었습니다.

클라우드 네이티브 아키텍처는 같은 상황에서 수평적 시스템 확장에 초점을 맞추고 있습니다. 평소에 사용하지 않는 시스템 수준을 최적화하여 최소한의 시스템 사양으로 운영합니다. 예기치 못한 오류나 장애를 수용할 수 있는 구조로 설계하여 최소의 영향으로 복원할 수 있는 구조를 만드는 데 중점을 둡니다. 그러면 시스템의 수평적 확장이 쉽고 복원력이 좋은 아키텍처 측면에서 몇 가지 고려해야 할 사항을 알아보겠습니다.

먼저, 분할된 서비스 구조입니다. 분할된 서비스로 상호 결합도를 최소화하여 장애 발생 시에도 다른 서비스에 영향을 받지 않도록 구성합니다. 물론, 장애가 난 서비스는 즉시 수정·배포 대응이 가능할 정도의 작은 서비스로 구성이 되어 있다면 모놀리스한 서비스 구성과는 다르게 빠르게 수정·배포할 수 있을 것입니다.

다음은 무상태 통신 프로토콜의 구성입니다. 통신을 비동기적으로 처리하여 클라이언트와 서버 간 동작 상태 정보를 저장하지 않아서 매 요청 시 상태 정보를 주고받아야 하는 단점은 있지만, 가용성 측면에서 유용합니다. 클라이언트 서버 간의 상태 통신 프로토콜로 동작한다면 특정 서버의 문제가 클라이언트 측면에서 장애와 연결될 수 있기 때문입니다.

마지막으로, 회로 차단(circuit breaker) 기능의 적용입니다. 회로 차단기는 전류가 평소 한계를 초과하여 과전류 상태로 흐를 때 이를 차단하는 안전 조치 역할을 합니다. 이러한 개념을 서비스에 적용하면 특정 서비스에 평균적인 리소스 사용량 이상의 비정상적인 상태이거나 오류가 발생했을 때 서비스 대신 처리 경로를 대체할 수 있는 응답을 보내어 장애를 회피할 수 있습니다.

장애 격리

장애 격리(fault isolation)는 오류 및 장애에 대한 격리입니다. 특정 서비스의 오류로 인해 다른 서비스까지 영향이 도달하는 것을 없애는 것입니다. 논리적인 격리는 서비스를 완전히 독립적으로 나누는 것으로 조치를 하고, 물리적인 격리는 서비스를 단독으로 중지 및 기동, 수정 및 배포 가능한 인프라 환경을 제공해야 합니다.

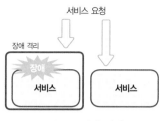

그림 2.6 **장애 격리**

모놀리스 환경에서는 시스템적인 성능과 부하로부터의 대응은 가능하나 서비스 자체의
문제로부터 다른 서비스의 영향도를 차단하기는 어렵습니다. 만약 서비스가 분할되어
있다면 다른 서비스부터 격리되어 특정 서비스만 문제가 해당 서비스에 제한적으로 영
향을 미칩니다. 그리고 해당 서비스에 대한 빠른 조치와 변경 배포로 이어지는 빠른 대
응이 가능해집니다. 이는 서비스 복원력과 밀접한 관계를 가집니다.

클라우드 네이티브 인프라

컨테이너 기반 패키지

컨테이너 기반 패키지(container based package)란, 컨테이너 단위의 패키지입니다. 패키지
단위가 시스템 단위일 수도 있고, 서비스 애플리케이션 단위일 수도 있습니다. 컨테이너
로 패키지된 단위가 실행 단위입니다. 즉, 컨테이너 단위로 독립적인 인터페이스와 물리
적으로 접속이 가능한 IP와 포트를 가집니다.

그림 2.7 **컨테이너 기반 패키징**

리눅스 컨테이너 기술을 응용한 도커 컨테이너는 PaaS(Platform as a Service) 영역에 큰
변화와 발전을 가져왔다고 해도 과언이 아닙니다. 도커 컨테이너 기술이 소개되기 전으

로 돌아가 보면 배포되는 패키지 형태는 '.jar'나 '.war' 형태로 압축된 파일 타입이었습니다. 하나의 압축 파일에 전체 소스가 압축되어 서버로 배포되어 실행되었습니다. '.war' 파일의 경우 웹 애플리케이션 서버가 기동될 때 바이너리(binary) 패키지로 형태로 풀려서 실행됩니다. 전체 소스가 하나의 패키지를 구성하는 모놀리스한 구조의 시스템 환경 대부분에서 패키지된 파일 타입은 '.jar'나 '.war' 형태의 파일 타입입니다. 만약 해당 패키지에 문제가 발생하면 배포의 역순으로 롤백(roll-back)하는 프로세스를 따릅니다. 사실 롤백 프로세스라기보다는 변경 이전에 백업했던 소스 코드를 그대로 복원하는 수준입니다. 수평적으로 확장 가능하고 민첩한 복원력을 갖기 위해서는 컨테이너 단위로 패키지해서 관리하는 방법이 빠른 개발과 장애 대응 측면에서 효율적이고 효과적일 것입니다.

도커 컨테이너로 실행되는 도커 이미지로 패키지되면 앞서 설명한 모놀리스 환경에서 프로세스들의 변화가 생깁니다. 도커 이미지를 받아서 컨테이너로 실행하게 됩니다. 만약 문제가 있다면 컨테이너를 내리고 원래 이미지를 실행하면 됩니다. 그것도 필요한 작게 분할된 서비스만 국한해서 제어가 가능합니다.

동적 관리

시스템은 서비스의 추가와 삭제를 자동으로 감지하여 새롭게 추가된 서비스로 서비스 요청을 라우팅할 수 있습니다.

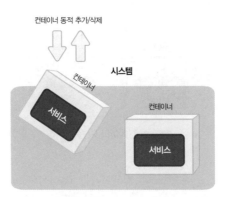

그림 2.8 **동적 관리(dynamically managed)**

컨테이너 단위로 패키지된 서비스가 시스템에 추가되면, 시스템 동적으로 컨테이너를 감지하여 클라이언트부터 들어오는 서비스 요청을 자연스럽게 추가된 컨테이너의 서비스가 처리할 수 있도록 관리됩니다. 마이크로서비스의 개수가 많아지고, 이를 패키지한 컨테이너의 수가 많아지면, 이들의 동작을 감지하고 관리하는 것은 아주 중요한 일이 됩니다.

지속적 통합과 배포

CI

소스 코드의 지속적인 통합과 배포는 클라우드 네이티브 시스템 환경 구축을 위해 중요한 요소입니다. 지속적 통합은 개발 환경에서 개발 중인 코드를 통합하고 필요에 따라 테스트로 병행 수행하는 일련의 프로세스를 의미합니다. 지속적 통합을 위한 구성 요소로는 통합(CI, Continuous Integration) 서버, 소스 관리(SCM, Source Code Management), 빌드 도구(tool), 테스트 도구가 있으며, CI 서버는 빌드 프로세스가 관리하는 서버입니다. 일반적으로 많이 알려진 빌드 도구로는 젠킨스(Jenkins)가 있습니다. 일반적인 CI 절차는 그림 2.9와 같습니다.

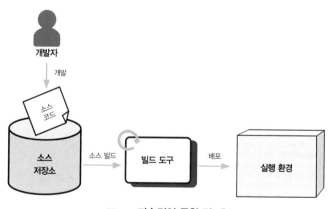

그림 2.9 **지속적인 통합 및 배포**

소스 저장소는 소스 코드의 형상을 관리하는 시스템으로 깃(Git), 서브버전(Subversion) 등이 여기에 해당합니다. 개발자들은 공용의 소스 저장소인 깃에 소스를 푸시(push)하게 되고, 빌드 도구에서 빌드하여 배포 대상 파일들을 패키지합니다. 지속적인 통합이라는 의미에서 알 수 있듯이 소스 저장소에 있는 소스를 기준으로 일정한 주기로 반복적으로 소스들을 빌드하여 실행 가능한 형태의 바이너리 상태인 파일로 만듭니다. 빌드 과정과 주기는 자동화되어야 하고, 빌드 시간은 그리 오래 걸리지 않아야 합니다. 마이크로서비스 아키텍처 환경에서는 서비스가 세분화되어 있어 빌드 시간이 상대적으로 짧습니다. 반면에 서비스들이 독립적으로 구성되어 빌드 대상들이 많을 수는 있습니다.

지속적 배포

지속적 배포에는 continuous delivery와 continuous deployment의 두 가지 유형이 있습니다. 실행 환경으로 배포하기 직전인 상태까지 배포하는 형태와 실행 환경까지 자동으로 배포하는 환경입니다.

그림 2.10 **지속적 배포**

continuous delivery

continuous delivery는 빌드된 소스 코드의 실행 파일을 실행 환경 반영 전 단계까지 배포하는 방식입니다. 실행 환경 반영을 위해서는 승인 및 배포 담당자의 허가를 받아야 배포할 수 있으며, 배포도 수동으로 처리합니다. 조금은 엄격한 배포 절차를 가지며, 현재 대부분의 기업 시스템은 이와 같은 체계로 운영되고 있을 것입니다.

continuous deployment

continuous deployment는 소스 저장소에 빌드된 소스 코드의 실행 파일을 실행 환경까지 자동으로 배포하는 방식입니다. 배포 과정 중에 사람의 개입 없이 자동으로 실행 환경까지 반영됩니다. 자동화하기 위한 정책이나 스케줄러 관리가 중요합니다.

파이프라인

파이프라인(pipeline)은 통합 및 배포까지 일련의 프로세스를 하나로 연결하여 자동화 및 시각화된 프로세스를 구축합니다.

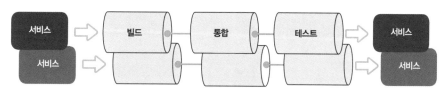

그림 2.11 **배포 파이프라인**

많은 수의 마이크로서비스 소스를 통합하고 서비스나 버전별로 관리하기 위해서는 통합 및 배포 환경이 필수적으로 형성되어야 합니다. 이러한 파이프라인은 되도록 서비스별로 하나씩 구성하는 것이 이상적입니다.

카나리 배포와 블루그린 배포

빌드된 소스를 릴리스하는 데에는 카나리(canary) 배포와 블루그린(blue-green) 배포의 두 가지 대표적인 유형이 있습니다.

그림 2.12 **카나리 배포와 블루그린 배포**

카나리 배포는 새 버전의 서비스를 일부 사용자들에게만 배포하여 정상 유무를 확인하는 전략을 가져갑니다. 반면에 블루그린 배포는 운영과 같은 환경이 하나 더 있고, 한쪽에 새로운 버전을 배포하여 사용자의 연결 요청을 새 버전 서비스로 라우팅을 유도하여 문제가 없으면 이전 환경의 사용을 중지합니다. 다음 버전 배포 때는 중지된 환경으로 새로운 버전을 배포하고, 다시 역할을 바꿉니다. 즉, 하나는 운영 환경으로, 하나는 운영 환경과 같은 릴리스 환경으로 버전 배포 때마다 역할을 바꾸어 주는 배포 전략입니다.

마이크로서비스는 변경에 아주 유연한 구조를 가져야 합니다. 잦은 변경과 서비스 배포에 유연하게 대응할 수 있는 자동화된 배포 인프라와 배포 전략이 필요합니다. 카나리와 블루그린 배포 전략을 잘 활용한다면 보다 안정적인 서비스 운영에 도움이 될 것입니다.

데브옵스

팀의 구성

데브옵스(DevOps)는 애플리케이션과 서비스의 개발에서 배포 운영까지 빠르게 제공하기 위한 조직의 협업 문화를 뜻합니다. 결국, 협업이란, 상호 팀 간의 이해관계와 시스템의 영향도를 말합니다. 이는 마이크로서비스를 개발하고 운영하기 위한 팀의 구성과도 관계가 있습니다. 서비스를 만들어 배포하고 운영하기 위한 팀 구성 방법은 조직의 크기, 업무의 성격, 혹은 비용 문제 등의 이유로 다양한 형태로 구성됩니다. 데브옵스 측면에서는 개발에서 운영까지를 하나의 파이프라인으로 형성하여 소스 코드의 배포가 필요할 때 즉시 반영되는 게 목표입니다. 이를 위해서 가장 이상적인 팀 구성 모델은 서비스의 기획, 설계, 개발, 배포 및 운영까지 서비스 생명주기(lifecycle)가 한 팀으로 같은 작업 공간에서 결정되고 수행되는 것입니다. 이렇게 된다면 생명주기상에서 발생하는 의사소통과 의사결정을 위한 노력과 비용을 절감할 수 있습니다. 또한, 원하는 시점에 즉시 서비스를 배포하고 운영할 수 있어 비즈니스 변화에 빠르게 대응할 수 있는 이점이 있습니다.

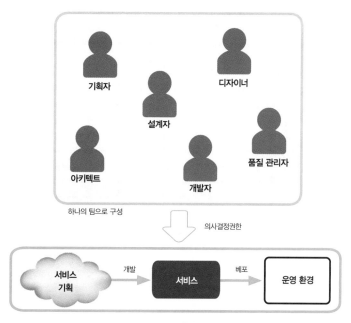

그림 2.13 **팀의 구성**

팀 구성원은 각각의 전문성을 가진 팀원들로 기획자, 아키텍트, 설계자, 개발자, 디자이너 등이 하나의 팀으로 구성되는 게 이상적입니다. 기획팀의 경우 프로젝트, 회사, 더 크게는 국가마다 존재할 수도 있고, 존재하지 않을 수도 있습니다. 보편적인 팀 구성 형태는 어떤 구성이었는지를 과거 경험을 바탕으로 살펴보면 기획팀, 개발팀, 아키텍처팀, 테스트팀 등 각 전문 분야의 집단끼리 모인 형태가 많고, 부서 간 혹은 팀 간의 협업과 의사결정이 필요할 때는 결정하기까지 짧게는 수일에서 길게는 수 주일의 시간이 걸렸습니다.

마이크로서비스 측면에서 팀 구성은 서비스 개발에서 운영까지의 의사결정에 관한 모든 권한이 주어지고, 시장의 반응에 더욱 빠르게 대응할 수 있는 팀원으로 구성하는 것을 권합니다. 이는 자율적 조직(self-organization)이라 하고 마이크로서비스를 만들기 위한 각 요소(업무, 디자인, 기술)별 담당자들이 한 팀을 구성하는 '온전한 팀(whole team)'을 지향합니다.

자동화와 시각화

개발 프로세스와 운영 프로세스 간의 자연스러운 연결이 데브옵스의 핵심이라면 프로세스 전체의 과정이 자동화되고 시각화되는 것이 이상적인 환경입니다.

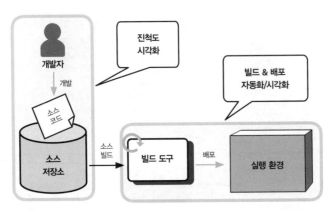

그림 2.14 **자동화와 시각화**

깃, 젠킨스, 대시보드(Dashboard), 이슈 추적(Issue Tracker) 등 오픈소스 도구들을 활용하여 소스 코드를 빌드하고, 개발 진척 상황 및 배포 운영 상황 등이 공유되고 모니터링되어야 합니다. 개발자, 테스터 측면에서는 개발의 생산성 향상과 품질 측면에서의 효과가 있고, 기획, 운영자 등의 입장에서는 상황을 직관적으로 이해할 수 있어 불필요한 보고나 이해 부족으로 발생하는 의사소통 비용을 최소화할 수 있습니다.

2.2 컨테이너

컨테이너 개념

컨테이너(container)라는 단어는 항만 선착장에서 흔히 볼 수 있는 화물 수송에 주로 이용되는 철제 상자(box)입니다. 격리된 공간으로 잘 봉인되어 컨테이너 내 물건들이 외부의 충격이나 환경에 영향을 받지 않고, 개별 컨테이너 단위로 라벨이 붙어 용도와 목적에 맞게 구성할 수 있는 것이 가장 큰 특징입니다. 즉, 상자 단위로 패키지되어 운송

이 편리하고 목적지나 상자의 용도별로 구성할 수 있고, 운송 과정에서 바람, 비, 눈 같은 외부 환경이나 외부 충격에도 안전하게 보호해 줍니다. 화주(shipper)는 자신이 보내고 싶은 화물을 용도에 맞게 격리된 공간에 가득 채워 다른 화주들 물건과 섞이지 않게 구분할 수 있고, 안전하게 송화인(consigner)에게 보낼 수 있습니다.

리눅스 운영체제에도 이러한 격리 개념이 있습니다. 운영체제상에서 독립된 공간을 할당하고 독립된 공간끼리는 서로 격리되어 독립된 자원을 할당받고 프로세스 간 간섭이 없다면 애플리케이션 입장에서는 자신만의 공간을 가지게 되고, 용도에 맞게 안전하게 실행될 수 있습니다.

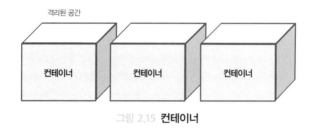

그림 2.15 **컨테이너**

운영체제의 컨테이너 기술은 2000년 'FreeBSD Jail', 'Unix FreeBSD'의 하위 시스템 분할의 아이디어(idea)로 시작해 리눅스 컨테이너, 2008년에는 이를 이용한 도커 오픈소스 발표와 현재에 이르기까지 발전하였습니다.

마이크로서비스 입장에서 보면 독립된 공간에서 독립된 역할을 수행할 수 있게 하는 아주 유용한 기술입니다. 컨테이너 단위의 독립된 공간 단위로 서비스를 패키지할 수 있으므로 격리된 만큼 필요한 자원을 할당하여 경량화된 서비스를 구성할 수 있고, 격리된 공간은 다른 서비스에 영향을 주지 않고 자유롭게 배포할 수 있습니다. 컨테이너의 수요가 많아지면, 즉 사용량이 증가하면 똑같은 컨테이너를 하나 더 구성하여 대응하기 편리한 확장을 제공합니다. 창고에 같은 내용물을 가진 컨테이너가 다수 존재한다면 필요한 시점에 즉시 배송이 가능할 것입니다. 즉, 필요한 마이크로서비스는 컨테이너 단위로 묶어서 즉시 필요한 시점에 배포할 수 있는 장점이 있습니다.

프로세스 격리

격리된 공간에서 수행되는 프로세스는 다른 공간에서 동작하는 프로세스에 영향을 받지 않습니다. 네트워크 자원을 분할하면 별도의 IP 어드레스를 할당하여 액세스가 가능합니다.

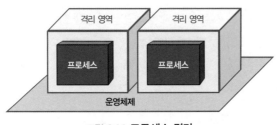

그림 2.16 **프로세스 격리**

가상화와 컨테이너

가상화는 '하이퍼바이저(hypervisor)'라는 소프트웨어를 이용하여 하나의 시스템에서 여러 개의 운영체제를 사용할 수 있게 지원하는 기술입니다. 반면에 컨테이너는 하이퍼바이저 없이 컨테이너 엔진을 통해서 가상의 격리된 공간을 생성하는 기술입니다.

그림 2.17 **가상화와 컨테이너**

가상화를 가능하게 하기 위해서는 물리적인 하드웨어 시스템을 논리적인 단위로 나누어 별도의 공간을 할당하기 위한 역할이 필요한데, 이러한 역할을 하이퍼바이저 소프트웨어가 담당합니다. 하나의 물리 하드웨어 시스템에 설치된 호스트 운영체제 위에 하이퍼바이저가 설치되어서 하드웨어의 자원을 분리하여 가상의 논리적 공간에 할당하여 격리된 공간을 제공합니다. 이렇게 격리된 공간을 가상 머신(virtual machine)이라 하고, 가상 머신에 설치한 운영체제를 게스트 운영체제(guest OS)라 합니다. 물리적 하드웨어 자원과 역할을 하이퍼바이저가 담당합니다. 격리된 가상 환경으로 호스트 운영체제(host OS)와는 완전 분리된 게스트 운영체제를 구성할 수 있는 장점은 있지만, 운영체제 설치와 관련 라이브러리 등을 공간별로 할당하고 구성해야 하는 오버헤드(overhead)가 발생합니다.

컨테이너는 하이퍼바이저라는 소프트웨어 없이 컨테이너 엔진을 통해서 가상의 격리된 공간을 생성합니다. 즉, 호스트 운영체제의 자원을 공유하지만, 프로세스 간의 격리를 통해서 가상의 공간에 독립성을 부여하는 방식입니다. 격리된 공간을 할당하는 개념은 같지만 그 방식에 차이가 있고, 호스트 운영체제의 자원을 공유하므로 가상화의 오버헤드는 없습니다. 즉, 경량화된 컨테이너 구성이 가능하고 이러한 장점을 활용할 수 있는 시스템 구성에는 유용한 기술입니다. 마이크로서비스와 같이 작은 서비스를 패키지하고 배포하기에는 아주 적절한 기술입니다.

리눅스 컨테이너

리눅스 컨테이너란?

컨테이너 기술을 적용하고 있고, 하나의 호스트 운영체제 위에 여러 개의 격리된 시스템 환경을 구성할 수 있는 운영체제 수준의 가상화 기술입니다.

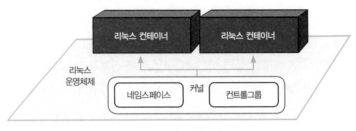

그림 2.18 **리눅스 컨테이너**

리눅스 컨테이너는 네임스페이스(namespace)와 컨트롤그룹(cgroups)이라는 커널(kernel) 기능을 사용하여 격리된 공간을 관리합니다.

네임스페이스

네임스페이스(namespace)는 컨테이너별로 격리된 공간을 가질 수 있도록 지원하는 기술 입니다. 네임스페이스는 그 이름으로도 짐작할 수 있듯이 고유의 이름을 가진 공간이 라고 생각하면 이해하기 쉬울 것입니다. 직장 내 같은 이름을 가진 동료가 있더라도 서 로 다른 부서에 속해 있으면 부서명으로 그 사람을 구분할 수 있습니다. 여기서 부서란, 부서원들을 묶을 수 있는 그룹의 개념이고, 같은 이름을 가진 부서원을 구분할 수 있는 정보입니다. 이와 같은 개념으로 시스템을 구성하는 요소도 공간별로 할당하고 관리할 수 있습니다. 시스템 구성 요소로는 'PID', 'NET', 'MNT', 'UID', 'UTS', 'IPC' 여섯 가지 네임스페이스를 제공합니다. 정리하면 표 2.1과 같습니다.

표 2.1 **네임스페이스**

구분	설명
PID(Process ID)	각 프로세스에 할당된 고유한 ID
NET(Network)	네트워크 디바이스(device), IP, 포트(port), IP 테이블(table) 등
MNT(Mount)	컴퓨터 시스템에 접속되어 있는 디바이스 정보를 운영체제에 인식
UID	네임스페이스별로 user ID, group ID를 할당
UTS	네임스페이스별로 호스트명(host name)과 도메인(domain)명을 독자적으로 가짐
IPC(Inter Process Communication)	프로세스 간 통신 객체(object)를 네임스페이스별로 할당

컨트롤그룹

컨트롤그룹(cgroups)은 물리적인 하드웨어의 리소스를 프로세스 그룹 단위로 제어하는 커널 기능입니다. 하드웨어의 리소스인 중앙처리장치, 메모리, 블록 입출력(block I/O), 네트워크, 디바이스 노드(device node – /dev) 등과 같은 자원을 뜻하며, 컨테이너의 재기동 없이 할당할 수 있게 해주는 커널의 기능입니다.

도커 컨테이너

도커 이미지

도커 이미지(docker image)는 하나 혹은 여러 개의 이미지 레이어로 구성되어 있고, 도커 엔진에서 사용하는 기본 단위입니다.

도커 컨테이너를 생성하는 요소로 가상 머신의 이미지 파일과 비슷하다고 이해하면 됩니다.

도커는 이미지와 컨테이너라는 개념을 제시하고 있습니다. 이미지는 다시 베이스 이미지(base image)와 도커 이미지로 개념적으로 구분할 수 있습니다.

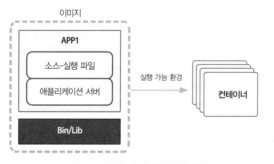

그림 2.19 **도커 이미지와 컨테이너**

예를 들어, 베이스 이미지는 리눅스 배포판의 커널을 제외한 영역을 이미지로 만들어 시스템을 부팅할 때 필요한 최소한의 실행 파일과 라이브러리만으로 베이스 이미지를 구성하여 배포합니다. 이러한 베이스 이미지에 추가적인 실행 파일이나 라이브러리를 구성하여 도커 이미지로 배포할 수 있습니다. 도커 이미지는 앞서 설명한 것처럼 베이스 이미지 위에 필요한 라이브러리나 실행 파일 등을 추가하거나 불필요한 파일들을 삭제하여 만든 이미지입니다. 즉, 베이스 이미지를 기본으로 하여 추가, 변경 혹은 삭제 변경된 이미지를 저장하고, 이렇게 만들어진 도커 이미지 또한 필요한 라이브러리나 실행 파일 등을 추가, 변경, 삭제하여 새로운 이미지를 만들 수 있습니다.

도커 컨테이너

도커 컨테이너(docker container)는 도커 이미지를 독립된 공간을 할당하여 실행한 런타임 객체(runtime object)입니다. 도커 엔진(docker engine) 위에서 기동되며 가상의 IP와 포트, 이름을 가질 수 있습니다. 컨테이너 내부로도 접근하여 내부 파일 시스템을 제어할 수 있습니다.

그림 2.20 **도커 컨테이너**

도커 컨테이너는 운영체제의 라이브러리와 애플리케이션을 묶어 하나의 런타임 객체를 만들어 실행합니다. 컨테이너별로 구성 요소를 다르게 만들 수 있고, 프로세스 간 격리된 환경으로 독립적으로 실행됩니다.

도커 레지스트리

도커 레지스트리(docker registry)는 도커 이미지를 관리할 수 있게 제공된 저장 공간입니다.

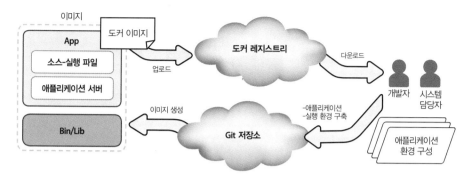

그림 2.21 **도커 레지스트리**

애플리케이션 서버와 실행 가능한 소스 파일, 라이브러리 등을 묶어서 이미지로 만든 도커 이미지를 도커 레지스트리에 업로드하면 이를 필요로 하는 시스템 담당자는 다운 로드를 하여 애플리케이션 환경을 구성할 수 있습니다. 그리고 다시 소스 저장소에 올려서 도커 이미지 형태로 빌드하여 도커 레지스트리를 통해서 공유할 수 있습니다. 개인 혹은 공용 형태로 사용할 수 있으며, 등록된 이미지를 검색하여 사용하거나 이미지를 만들어 공유합니다.

도커 네트워크

도커 네트워크(docker network)는 도커 컨테이너 단위로 서비스할 수 있도록 네트워크 환경을 제공하는 가상의 네트워크 환경입니다. 이를 가능하게 하는 것은 가상의 브리지인 docker0가 담당합니다. 도커 데몬(docker daemon)이 기동되고 난 후에 IP가 할당되고, 도커 컨테이너들도 컨테이너별 eth0에 IP가 자동으로 할당됩니다. 외부에서 퍼블릭 네트워크에서 들어오는 연결은 물리 NIC(eth0)와 연결되고, NIC(eth0)는 도커 내부 네트워크와 브리지 역할을 하는 docker0와 연결됩니다. docker0은 도커 내부 컨테이너들의 가상의 NIC(veth)와 연결되어 접속할 수 있습니다. 도커 내부 컨테이너들은 각자 가상의 eth0에 IP가 자동으로 할당되어서 docker0에서는 컨테이너의 IP를 확인하여 연결할 수 있습니다.

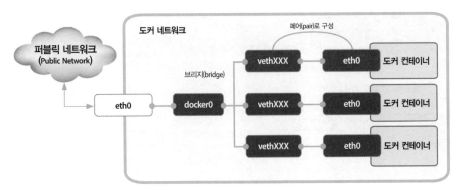

그림 2.22 **도커 네트워크**

도커 네트워크는 NAPT(Network Address Port Translation) 기능을 사용합니다. NAPT 란, 하나의 IP를 가지고 가상의 여러 IP 및 포트와 변환하는 기능입니다. NAT(Network Address Translation)와는 차이점이 있는데, NAT는 공용 IP와 사설 IP의 관계, 즉 'Public IP : Private IP' 관계가 1:1로 변환하는 방식이라면 NAPT는 포트까지 변환하여 1:N으로 변환하는 방식입니다.

도커는 리눅스의 IP 테이블(IP tables)을 NAPT로 사용하여 이러한 기능을 수행할 수 있습니다. 예를 들어, 외부 사용자가 특정 IP에 8080 포트 서비스 요청을 하면 이를 사설 IP에 포트까지 다른 도커 컨테이너와 연결할 수 있습니다.

호스트 포트 8080 : 컨테이너1 포트 80

서비스 요청이 컨테이너까지 전달되는 과정을 요약하면 아래와 같습니다.

사용자 http://www.hoony.com:8080 → eth0 8080 → docker0 → 컨테이너1번(80 port)

도커 컨테이너가 80번 포트로 서비스되고 있는데, NAPT 8080 → 80으로 변환하는 설정이 되어 있다면 외부 사용자의 요청을 8080 호출은 NAPT 설정에 의해 80 도커 컨테이너에 연결하여 결과를 반환해 줄 것입니다.

도커와 마이크로서비스

마이크로서비스는 독립된 서비스이고, 이를 실행하기 위한 환경 측면에서 도커 컨테이너는 잘 어울리는 기술의 조합입니다.

앞서 설명한 도커 이미지, 도커 레지스트리, 도커 네트워크 등의 기술은 마이크로서비스의 생성과 배포, 실행을 가능하게 하는 핵심 기술 요소입니다.

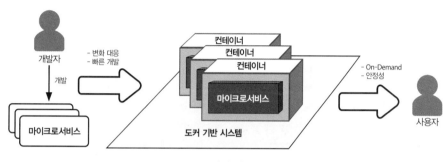

그림 2.23 **도커와 마이크로서비스**

독립된 서비스의 생명주기를 격리된 도커 컨테이너로 생성, 배포, 실행, 중지 및 삭제 등이 쉬운 형태로 잘 지원할 수 있고, 서비스 등록, 발견, 모니터링 등의 에코 시스템과 결합하면 마이크로서비스가 잘 실행될 수 있는 최적의 환경을 갖추게 됩니다.

마이크로서비스 이해와 기획

마이크로서비스는 소규모 조직에서 독립적으로 개발하여 배포할 수 있는 서비스입니다. 소규모 조직에서 독립적으로 개발하여 배포할 수 있다는 것은 조직이 서비스를 배포할 수 있는 권한과 책임을 가진다는 뜻입니다. 또한, 독립적으로 개발할 수 있다는 것은 다른 서비스들과의 연관 관계가 적다는 뜻입니다.

소프트웨어 공학의 원리 중 하나인 관심사의 분리가 있습니다. 여러 가지 일을 한꺼번에 하기보다는 작게 나누어 처리하라는 것입니다. 복잡한 문제를 해결하기 위해서 문제를 작게 나누어서 한 가지 일에 집중해서 접근한다는 뜻입니다. 마이크로서비스를 만드는 과정도 이와 비슷합니다. 복잡한 비즈니스를 충족하고 변화에 민첩하게 대응하기 위해서 작고 단순하게 관심사를 나누고 작은 것부터 하나씩 완성해 가는 것입니다.

"관심사는 어떻게 나눌 수 있는지?", "서비스는 얼마나 작게 나눌 수 있는지?", "무엇을 기준으로 서비스의 크기를 정하는지?" 등을 결정해야 합니다. 서비스의 경계를 적절하게 나눠서 식별하고, 식별된 서비스마다 주소를 체계적으로 부여하는 일은 마이크로서비스 기획 단계에서 중요한 부분입니다. 그럼 이제 마이크로서비스의 특성에 대해 이해하고, 이를 바탕으로 마이크로서비스를 기획하는 과정에 대해서 알아보도록 하겠습니다.

3.1 마이크로서비스 이해

마이크로서비스 개념

마이크로서비스란?

마이크로서비스는 소규모의 조직이 독립적으로 개발하고 배포하여 운영할 수 있는 서비스입니다.

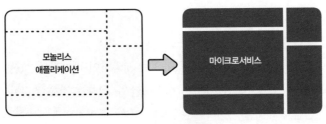

그림 3.1 **마이크로서비스**

모놀리스(monolith) 애플리케이션에서는 모든 기능이 하나의 큰 애플리케이션 형태로 실행 배포됩니다. 내부를 들여다보면 업무적으로 비슷한 것들은 그룹을 지어 패키지로 분리하지만, 전체적으로 하나의 큰 덩어리로 실행됩니다. 반면에, 마이크로서비스는 논리적으로 분할할 수 있는 기능들이 분리 구성되어 독립적으로 실행할 수 있는 애플리케이션입니다.

마이크로서비스와 아키텍처

마이크로서비스와 마이크로서비스 아키텍처는 조금 다른 주제입니다. 흔히 마이크로서비스 아키텍처라는 용어로 둘의 경계를 희석시켜 이해하려 합니다. 하지만 서비스는 '업(業)'을 이해하고 현재보다 유연한 사업 구조를 만들기 위한 분석 활동의 결과물이고, 이렇게 잘 분할되어 식별된 결과물을 효과적이고 효율적으로 잘 설계하기 위한 아키텍처적인 접근이 마이크로서비스 아키텍처입니다.

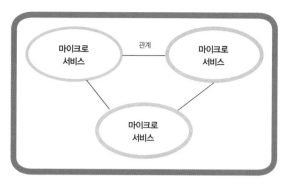

그림 3.2 **마이크로서비스 간 관계**

모놀리스 애플리케이션을 작게 잘 나누거나 새로운 서비스를 작게 잘 설계하면 그것이 마이크로서비스가 됩니다. 문제는 작게 나뉜 서비스들의 생명주기 관리와 가용성 있는 서비스의 운영입니다. 이러한 부분들에 대한 고민과 적절한 방법을 제시하는 것이 아키텍처의 역할입니다.

마이크로서비스의 특징

작은 서비스

서비스의 의미를 다시 한번 생각해 보겠습니다. 서비스는 비즈니스보다 작은 개념입니다. 독립된 비즈니스가 아닌 독립된 서비스입니다. 서비스들이 합쳐져 작은 비즈니스가 됩니다. 작은 서비스를 만들기 위해 크기를 식별하는 기준으로 조직이 맡은 업무의 특성과 경계를 참고합니다. 부가적으로 업무 사례, 데이터 혹은 도메인 전문가들의 의견을 수렴하거나 서비스 간의 관계를 파악하여 그 경계와 크기를 가늠합니다.

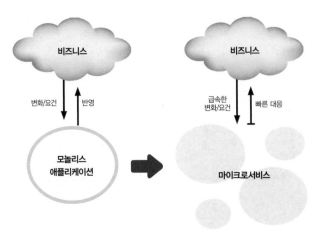

그림 3.3 **작은 서비스**

작은 서비스에 대해 좀 더 알아보겠습니다. 작은 서비스를 식별하기 위한 이론은 에릭 에반스(Eric Evans)가 지은 《도메인 주도 설계(Domain Driven Design)》에서 잘 설명하고 있습니다. 《도메인 주도 설계》에서는 바운디드 콘텍스트(bounded context)'와 '보편적 언어 (ubiquitous language)'라는 용어를 정의하여 서비스의 경계를 나누고 서비스를 식별하는 기준으로 사용합니다. 바운디드 콘텍스트는 하나의 서비스에 담을 수 있는 기능들의 그룹이자 서비스 수준의 경계입니다. '보편적 언어'란 같은 업무를 하는 사람들은 업무 상 사용하는 단어와 용어의 뜻이 같다는 것입니다. 예를 들면, 같은 단어라도 부서에 따라 뜻이 다르게 해석될 수 있습니다. 은행 업무에서 '고객'이란 단어를 사용한다고 생 각해 봅니다. 고객이 단순 입출금을 위한 고객일 수도 있고, 대출을 위한 고객일 수도 있습니다. 은행 업무에 따라서 다르게 해석됩니다. 업무의 관심 영역이 다르고, 그 업무 에서 사용하는 단어와 용어들의 의미가 다르기 때문입니다. 우리가 대화할 때도 특정 조직에서는 공감할 수 있는 내용이 다른 조직에서는 공감하지 못하는 경우가 있을 것 입니다. 그것은 서로 사용하는 용어가 다르거나 상황이 다르기 때문입니다. 이러한 이 유로 '보편적 언어' 기준으로 서비스 경계 범위를 나누는 것은 의미가 있습니다.

과거 국내 모 통신사의 'CRM(Customer Relationship Management)' 프로젝트에 참여했을 때 경험한 CRM 업무에 대해 작은 서비스와 관련해서 잠깐 이야기해 보겠습니다. 벌써

10년이나 더 된 프로젝트이지만, 지금 생각해 보면 각 업무를 개발하는 담당자와 현업 부서원들도 각자의 영역에 전문화되어 있었고, 업무 단위 조직 구성원끼리 사용하는 단어의 뜻이 달랐던 기억이 있습니다.

CRM 업무는 많은 관련 업무가 있지만, 그중 대표적인 것은 '일반전화'와 '휴대전화'를 사용하는 고객의 정보를 관리하기 위한 '고객 관리' 업무와 고객의 계약 상태를 관리하기 위한 '계약 관리' 업무, 고객의 불만 사항 관리 업무, 고객의 의견을 접수하는 콜 센터(call center) 접점 업무인 'VOC(Voice Of Customer)' 업무로 나뉘어 있었습니다. 각각의 업무를 담당하는 담당자들은 '고객'이라는 단어를 사용하여 서로 소통하고 있었는데, '고객'의 의미는 엄연히 달랐습니다. 예를 들면, 계약 업무의 '고객'의 의미는 '가입자'였고, VOC 업무의 고객은 '상담 접수자'의 의미였습니다. 업무적으로 사용하는 단어나 용어가 시스템적으로 같은 코드를 사용하지만, 부서마다 의미의 해석이 달랐던 것입니다. 보편적 언어인 '고객'의 의미가 계약 관리 기능과 VOC 관리 기능에서 서로 다르게 해석되고, 마이크로서비스 관점에서는 서로 분할이 가능한 서비스입니다.

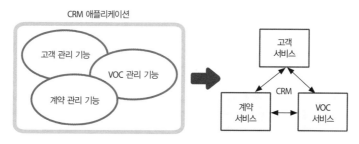

그림 3.4 **서비스 분할**

당시 CRM 애플리케이션은 과거 대부분의 정보 시스템처럼 모든 업무가 하나의 애플리케이션으로 개발 운영되었습니다. 서비스가 변경되어 프로그램을 수정해야 할 때는 거의 모든 애플리케이션 담당자가 변경에 따른 시스템 영향을 파악해야 했고, 배포 또한 복잡한 결재 프로세스를 거쳐야 했습니다. 이는 당연한 프로세스 중 하나지만 지금 생각해 보면 개발과 운영 프로세스상의 많은 부분이 비효율적이라는 생각이 듭니다.

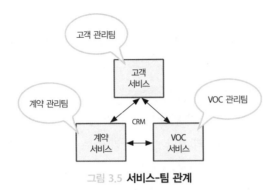

그림 3.5 **서비스-팀 관계**

작게 분할된 서비스는 서비스를 담당하는 팀과 연결됩니다. 직관적으로 이해할 수 있는 수준에서 분할된 서비스가 '고객 서비스', '계약 서비스', 'VOC 서비스'가 되고, 각 서비스는 독립된 팀 단위로 관리되는 것이 이상적입니다. "그럼 분할한 서비스는 분할 전 애플리케이션의 기능을 충족할 수 있느냐?"의 문제는 또 다른 문제입니다.

지금껏 이야기한 작은 서비스의 의미를 개념적으로 이해할 수 있을 것입니다.

독립된 서비스

독립적으로 실행할 수 있고, 다른 서비스들과 결합이 없는 서비스입니다. 구현과 배포, 실행 측면의 독립성도 있겠지만, 장애에 대한 영향도 측면에서도 영향을 받지 않습니다. 이는 서비스 간의 연관 관계를 최소화하여 상호 영향을 주지 않고 독립적으로 실행되는 서비스이기 때문입니다.

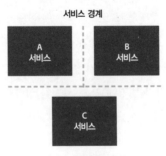

그림 3.6 **독립된 서비스**

A, B, C서비스는 서로 독립적으로 개발되고 실행됩니다. 예를 들어, '전 세계 렌터카 사업'을 하는 회사에 두 개의 부서가 있다고 가정해 봅니다. 하나는 고객 정보를 관리하는 부서이고, 다른 하나는 요금을 수납하고 차를 내주는 부서입니다. 그리고 이 회사의 업무 처리를 위해서 '렌터카 예약 관리 시스템'을 운영한다고 가정해 봅니다. 시스템의 기능 구성은 고객 정보를 등록하는 '고객 관리 서비스', 요금을 정산하는 '요금 정산 서비스' 그리고 차량의 출고와 관련된 '차량 출고 서비스' 기능이 있다고 가정합니다. 독립된 서비스라는 관점에서 보면 '고객 관리 서비스', '요금 수납 서비스', '차량 출고 서비스'가 각각 분리되어 느슨한 결합을 가지며, 시스템에서 각각 독립된 형태로 서비스가 이루어 져야 합니다.

이를테면, '고객 관리 서비스'의 기능 중 고객 등록 기능에 문제가 발생하더라도 이와 관계없이 예약은 할 수 있어야 합니다. 또한, 예약을 할 수 없는 상황이 발생하더라도 요금은 정산할 수 있고, 차량 출고 서비스도 문제가 없어야 합니다. 즉, 어느 한쪽의 서비스가 문제가 되어 다른 서비스에 영향이 전가되어서는 안 됩니다. 서비스 간의 결합에 따른 영향을 최소화한다는 뜻입니다. 모놀리스 애플리케이션이라면 특정 기능 한 곳에서 문제가 된다면 렌터카 대여 비즈니스 자체가 불가능한 상황이 발생할 것입니다.

응집된 서비스

하나의 서비스는 기능적으로 응집되어 있어야 합니다. 서비스의 역할이 한 가지 일을 하기 위해 뭉쳐 있어야 하고, 그 일을 해결하기 위한 기능에 집중한다는 것입니다. 한 가지 목적에 집중할 때 코드는 단순 명확해지고 오류 발생 확률도 최소화될 것입니다.

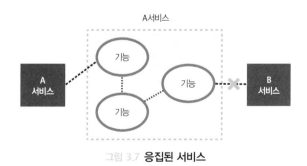

그림 3.7 **응집된 서비스**

세 개의 기능은 모두 'A서비스'를 구현하기 위한 기능들입니다. 예를 들면, '수강 신청 시스템'을 구축한다고 가정해 봅니다. 수강 신청을 하기 위해서 과목도 검색해야 하고, 일정과 정원도 확인해야 합니다. 시스템 구성을 위해 '수강 신청' 서비스를 만듭니다. '수강 신청' 서비스는 수강 신청 기능에 집중해야 한다는 것입니다. 수강 신청할 '개설 과목'과 '수강 일정'을 선택하여 신청할 수 있고, 필요시 선택된 '개설 과목'에 대한 '선택 취소'도 가능한 기능을 만들어야 합니다. '수강 신청' 서비스에서는 수강 신청과 관련된 행위에 집중하는 것이고, '개설 과목'이나 '수강 일정' 등은 각각 다른 서비스로 개발되어야 합니다. '수강 신청' 서비스 내에서 '개설 과목'과 관련된 '과목 등록', '강사 등록' 등의 기능까지 만들어야 한다면 '수강 신청' 서비스가 여러 가지 일을 하는 형상이 됩니다.

자율적 서비스

자율적 서비스는 서비스를 기획, 개발, 테스트, 배포 및 서비스의 운영까지 담당 조직 (팀)이 독립적으로 의사결정을 하고, 서비스에 대한 소유권(ownership)을 가지고 관리되는 서비스입니다. 즉, 비즈니스 변화, 서비스 자체의 문제나 이슈에 대해서 서비스 간 영향 없이 독립적으로 관리할 수 있어야 합니다. 서비스 자율성의 의미는 서비스를 관리하는 조직의 자율성이라고 생각하면 이해하기 쉽습니다.

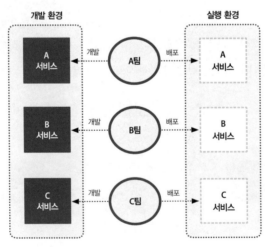

그림 3.8 **자율적 서비스**

그림 3.8에서 각각의 서비스는 관리하는 주체가 다릅니다. A서비스는 A팀에서, B서비스는 B팀에서, C서비스는 C팀에서 서비스를 개발하고 실행 환경에 배포도 합니다. 개별 서비스 단위로 소유권을 위임하고, 각 팀은 한 가지 서비스에 집중할 수 있게 합니다. 자율적인 서비스 운영은 소규모 단위의 조직에서 운영합니다. 서비스의 목적과 하는 일이 조직의 목적과 규모에 부합한다는 것입니다.

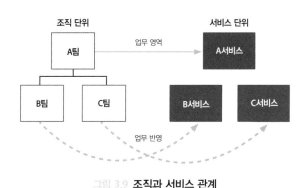

그림 3.9 **조직과 서비스 관계**

서비스는 조직이 수행하는 업무입니다. 서비스는 서비스의 본질과 가치를 가장 잘 이해하고, 서비스를 잘 운영 관리할 수 있는 조직의 규모와 역할에 맞춰지고 할당되어야 합니다. 조직 구성원은 자체적으로 업무 흐름을 정하고, 제품화할 대상을 디자인, 설계, 개발, 테스트 및 배포 운영까지 할 수 있는 분야별 전문가가 포함된 하나의 완전한 팀이어야 합니다. 이렇게 구성된 작은 조직이 서비스를 개발하고, 배포할 수 있는 권한까지 있다면 가장 좋은 조직 구성의 사례일 것입니다.

3.2 마이크로서비스 기획

마이크로서비스는 작은 서비스라 필요에 따라 즉시 개발하고 배포할 수 있습니다. 다만 대규모 시스템 통합 사업에서 마이크로서비스 기반으로 프로젝트를 수행할 때는 프로젝트를 수행하기 위한 전략이 필요합니다. 프로젝트 현장에서 마이크로서비스를 기획하기 위해서는 마이크로서비스 아키텍처 구축 체계를 수립하고 적절한 크기의 서비스를 도출하기 위한 서비스 식별 전략이 필요합니다. 기업의 상황과 비즈니스 성격에 따라 여러 형태의 접근법이 있겠지만, 일반적인 프로젝트 환경에서 서비스를 분석하여 아키텍처 전략을 수립하는 경험적 접근법에 관해서 이야기하려 합니다.

그림 3.10 **마이크로서비스 기획**

마이크로서비스를 도출하고 설계하기 위해서는 업종 도메인과 비즈니스에 대해 먼저 이해해야 합니다. 물론, 이 과정이 마이크로서비스에 국한된 것은 아닙니다. 업종마다 프로세스와 정보 시스템의 특성은 서로 다릅니다. 하지만 업종마다 특성이 다르다고 하여 아키텍처를 구축하기 위한 일련의 활동들이 매번 다른 것은 아닙니다. 아키텍처도 사례를 기반으로 아키텍처 스타일과 패턴 등이 꾸준히 개선되고 발전합니다. 마이크로서비스 아키텍처도 스타일 중 하나이고, 아키텍처의 대상이 되는 마이크로서비스를 식별하기 위한 전략과 분산 환경의 특성을 가진 마이크로서비스 아키텍처 구축에 관한 접근법이 있어야 합니다.

마이크로서비스 식별 전략

업무 영역에서 마이크로서비스를 식별하는 일은 개념적이면서도 정답이 없는 활동입니다. 해당 도메인의 전체 흐름을 완벽하게 이해하고 업무의 중요도를 가려 서비스를 식별하는 것은 현실적으로 어렵습니다. 분석하는 사람의 경험과 지식, 그것도 각자의 관점과 주관이 개입될 수밖에 없기 때문입니다. 하지만 그렇다고 하여 직감으로 이야기할 수는 없습니다. 모든 아키텍처는 근거가 있어야 하고, 마이크로서비스 아키텍처의 핵심인 마이크로서비스 또한 식별 근거가 명확해야 하기 때문입니다. "이 업의 서비스 대상은 무엇인가?", "서비스가 정말 마이크로한가?"라는 질문에 대한 근거 있는 답을 내놓아야 합니다. 그리고 그것이 시스템에 좋은 영향을 미쳐야 함은 당연할 것입니다. 구축 프로젝트에서 마이크로서비스 식별 전략의 핵심은 마이크로서비스 크기의 타당성을 만들어 가는 과정입니다.

그림 3.11은 마이크로서비스 식별 전략입니다. 필자가 마이크로서비스 기반 시스템 구축 사업에 참여했을 때의 식별 전략입니다. 물론 정답이라 단정 지을 수는 없지만, 프로젝트를 리딩하고 가이드를 제시하기 위해서는 전략이 필요하고, 이는 이론적인 근거와 성공적인 경험이 녹아 있어야 합니다.

국내 대부분의 차세대 프로젝트는 빅뱅 방식으로 진행됩니다. 해외의 구축 사례와는 다소 괴리가 있을 듯합니다. 수년간의 장기적이고 점진적인 변경을 통해 시스템을 개선해 나가는 해외의 사례와 국내의 환경과는 다소 차이가 있기 때문입니다.

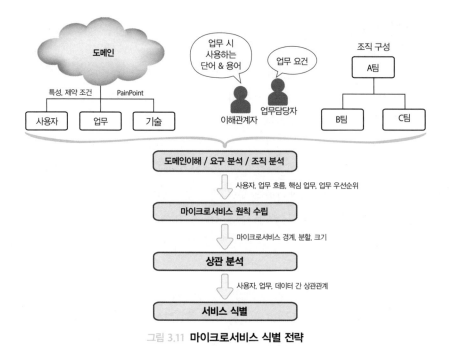

그림 3.11 **마이크로서비스 식별 전략**

도메인의 이해를 바탕으로 사용자와 업무 흐름을 분석해서 마이크로서비스의 원칙을
수립하고, 수립된 원칙 아래서 서비스와 데이터들의 상호 연관 관계를 분석 정리해서
서비스를 정의해 나가는 일련의 서비스 식별 전략입니다. 물론, 프로젝트나 업무 환경
에 따라서는 맞지 않을 수도 있지만, 중요한 것은 마이크로서비스를 식별하기 위한 기
준과 전략에 대해서 고민하고 BP(Best Practice)가 있다면 테일러링(tailoring)해서 상황에
맞는 전략을 수립해야 한다는 것입니다.

'업(業)' 도메인 이해

사용자 유형 분석

사용자 유형을 분석하는 방법은 도메인의 비즈니스를 이해하는 가장 첫 단계입니다.
사용자라는 넓은 범주에서 보면 업과 관련된 모든 이해관계자입니다. 결국 비즈니스
는 제공자와 소비자가 있어야 가능하기 때문입니다. 소비자를 위해 제공자가 효과적으
로 운영할 수 있는 시스템의 뼈대를 만드는 것이 아키텍처이고, 중점 고려 요소가 사용

자입니다. 사용자의 분류와 역할을 이해하는 것만으로도 업무의 큰 흐름을 이해할 수 있고, 핵심 비즈니스가 무엇인지 개략적으로 파악할 수 있습니다. "사용자를 어떻게 분류하는지?", "사용자들의 명칭을 어떻게 부르는지?", "각 사용자의 역할은 무엇인지?", "사용자들의 권한은 어떠한지?", "사용자들이 속한 조직은 있는지?" 등등 분석을 위한 많은 질문을 만들어 사용자를 명확하게 정의할 수 있습니다.

업무 흐름 분석

전반적인 업무의 흐름에 대한 이해가 필요합니다. 간혹 프로젝트 현장에서 업무 분석 팀과 이야기를 나누다 보면 업무적으로 '데이터베이스가 너무 복잡하게 연결되어 있어 작게 분할하기 힘들다는 이야기를 자주 합니다. 정확히 말하자면 데이터 간의 상호 참조가 많다는 의미로 해석됩니다. 물론 이미 구성된 시스템 데이터 간의 관계를 완전히 무시할 수 없지만, 데이터 간의 관계를 배제하고 서비스 수준에서 업무의 흐름을 분석합니다. 업무의 흐름을 분석해서 순서를 구분하여 별도의 서비스라고 가정합니다. 그리고 선행 업무의 결과를 후행 업무에서 참조해야 할 상황이면 실시간으로 참조하는지 아니면 약간의 시간 간격이 있어도 되는지 등 흐름을 기준으로 경계를 나눕니다.

핵심 업무 및 우선순위

업무 중에서는 핵심이 되는 업무와 비핵심 업무가 있을 것입니다. 그리고 비핵심 업무 중에는 핵심 업무와 관련이 있는 업무와 그렇지 않은 업무가 있을 것입니다. 이를테면, '렌터카 예약' 업무에서 핵심 업무는 원하는 자동차를 원하는 일정에 예약하는 것입니다. 이 과정에서 차량 픽업이나 보험 업무 같은 것은 비핵심 업무에 해당할 것이고, 사용 후기 등록이나 이벤트 같은 업무는 어느 도메인이나 있을 만한 공통적인 업무입니다.

다른 예로 최근에 구축한 온라인 교육 시스템을 예로 들어 보겠습니다. 교육 시스템과 관련 없이 대부분 온라인 시스템에는 인증 권한, 사용자 관리, 공지사항, 메일, 푸시 같은 기능들이 기본적으로 제공됩니다. 대부분의 온라인 시스템에서 제공되는 이러한 기능들을 공용 서비스로 분류하였습니다. 그리고 온라인 교육 시스템에서 가지는 일반적인 기능들이 있습니다. 이를테면 시험, 평가, 설문, 과제 같은 기능들은 교육 시스템에서 기본적으로 제공해야 하는 기능입니다. 이러한 기능들을 일반적인 서비스로 분류하였습니다. 그리고 구축 중인 목표 시스템에만 있는 차별화된 기능들은 특화 서비스로 분류하였습니다. 이렇게 시스템의 모든 기능을 세 가지(특화, 일반, 공용) 관점을 서비스의 경계를 식별하고 분류하는 주된 기준으로 하였습니다. 이렇듯 업무의 유형을 구분하고 이들 간의 우선순위를 정하는 것이 중요합니다.

우선순위는 기술 검증을 위한 선행 개발(pilot)이나 최소 실행 가능 제품인 MVP (Minimum Viable Product)의 대상 선정의 기준이 되고, 애자일(agile) 스크럼(scrum) 방법론의 스프린트 백로그(sprint backlog)의 우선순위로 연계하여 생각해 볼 수 있습니다.

이러한 기준은 서비스 개발 프로세스와 방법론에서 강조하는 반복 주기 그리고 아키텍처를 위한 목표, 활동 등과도 밀접한 관계를 가진다는 뜻입니다.

상관 분석

마이크로서비스의 핵심은 서비스의 결합 관계를 낮추고 데이터 간 연관성을 최소화하여 독립된 서비스들로 구성된 서비스를 만드는 것입니다. 소프트웨어 공학에서 이야기하는 '관심사의 분리', '낮은 결합도'와 '높은 응집도' 등 고품질의 소프트웨어를 만들기 위한 원리와 맥락을 같이합니다. 결국, 마이크로서비스도 작은 애플리케이션이고 코드로 제작된 소프트웨어이기 때문입니다.

서비스 간 적절하지 않은 포함 관계나 참조 관계를 파악해서 수평적 관계로 변경합니다. 포함 관계를 제거함으로써 가시적으로 드러나지 않는 서비스가 없게 하여 한 가지 일에 집중할 수 있게 서비스의 역할과 기능을 단순화합니다. 만일 분리된 서비스가 독립적으로 수행되지 못하고 반드시 호출되는 구조라면 분리할 수 없는 서비스이고, 호출하는 서비스와 동일한 서비스가 됩니다.

데이터의 상관관계도 제거합니다. 데이터는 특정 서비스에 국한되어 사용됩니다. 데이터의 소유권을 가진 서비스가 아닌 다른 서비스에서 직접 참조할 수 없다는 뜻입니다. 서비스 독립적으로 데이터베이스가 구축됩니다. 만일 별도 구성이 어렵다면 최소한 데이터베이스의 스키마 단위로라도 분리되어야 하고 상호 참조 관계가 없어야 합니다. 서로 다른 스키마나 데이터베이스의 데이터는 되도록 데이터의 직접 접근이 아닌 서비스를 호출하여 접근하는 방향이어야 합니다.

표 3.1 **도메인의 이해와 마이크로서비스**

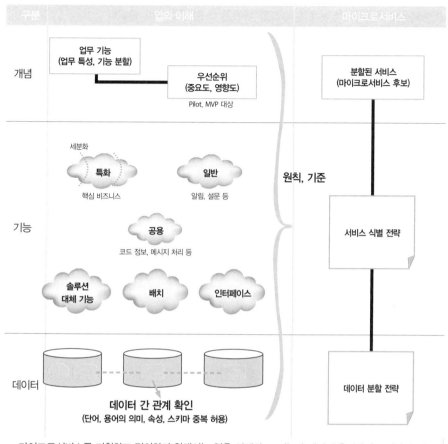

- 마이크로서비스를 기획하고 정의하기 위해서는 업을 이해하고, 기능과 데이터 측면에서 구체적인 접근 전략이 필요합니다.

마이크로서비스 원칙 수립

서비스 경계

마이크로서비스 기획에서 가장 어려운 부분입니다. 서비스의 경계는 도메인에 따라 성격이 다르고, 기업의 조직과 성격에 따라 여러 형태의 크기로 생각해 봐야 하기 때문입니다. 논리적인 접근을 통해서 최적의 형태가 결정되어야 합니다. 서비스를 정의하는 여러 가지 활동들을 체계화하여 정리할 필요가 있습니다. 중요한 것은 서비스 분할 기준이 있어야 한다는 것입니다. 조직을 기준으로 서비스를 구성할 건지 서비스의 업무 중요도에 따라 서비스의 경계를 구분할 것인지 등을 판단해야 합니다.

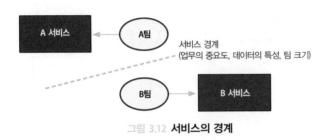

그림 3.12 **서비스의 경계**

서비스 분할

하나의 서비스를 만들기 위해서는 서비스의 경계를 식별·평가하고 주소를 부여하는 일련의 절차가 필요합니다. 서비스의 경계를 식별하기 위해 세 가지 정도의 접근 전략을 생각해 볼 수 있습니다. 서비스 분할은 특정한 한 가지 기준에 국한해서 생각하기보다는 업무의 중요도, 업무의 형태 등 여러 방안을 생각해야 하기 때문입니다.

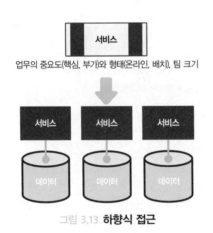

그림 3.13 **하향식 접근**

첫 번째, 하향식 접근으로 마이크로서비스를 식별할 수 있습니다. 업무의 흐름을 기준으로 핵심적인 업무와 비핵심적인 업무를 나누고, 어느 도메인에서나 사용 가능한 업무 등으로 분류할 수 있습니다. 이렇게 분할된 업무 단위를 서비스라 하는데, 이는 서비스에 사용하기 위한 데이터를 서비스별로 정의하는 접근법입니다.

두 번째, 상향식 접근으로 마이크로서비스를 식별할 수 있습니다. 상향식 접근이란, 데이터의 특성을 고려하여 분할하는 것입니다.

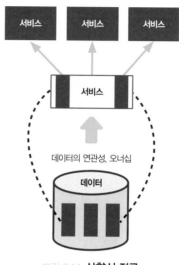

그림 3.14 **상향식 접근**

대부분의 기존 환경에서 데이터는 한 저장소에 구성하여 가용성을 유지하는 형태로 구성되어 있을 것입니다. 물론, 빅데이터에 대한 관심이 증가하면서 분산형 데이터베이스에 저장하는 형태도 있을 것입니다. 데이터를 기준으로 연관성이 없는 부분부터 분리하고, 이를 사용하는 서비스를 분리하는 방법입니다.

하향식 접근이든 상향식 접근이든 마이크로서비스의 목표는 서비스를 작게 분할하고, 서비스를 위한 데이터는 그 서비스에 한정하여 참조하는 것입니다. 그런데 기존 애플리케이션에서 사용하던 데이터들이 하나의 거대한 통에 담겨 있고, 서비스는 계속되어야 하는 상황에서는 결국 서비스 분할의 종착지는 '데이터 분할'이라는 난제가 기다리고 있습니다.

세 번째는 점진적 분할입니다.

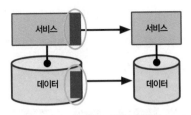

그림 3.15 **서비스 일부 분리**

가장 현명한 방법은 비즈니스 영향이 덜한 서비스들부터 하나씩 점진적으로 바꿔 나가는 것입니다. 신규 시스템을 구축해야 하는 상황에서 신규 서비스를 만들 경우에서는 서비스 간 데이터의 종속 관계는 고민이 덜 되겠지만, 대부분의 기업은 정보 시스템이 갖춰져 있고 데이터의 종속 관계가 높아서 분리하기 힘든 경우가 대부분일 것입니다. 물론, 데이터 이외에도 서비스 간 결합도가 높아서 서비스를 분리하는 작업이 쉽지 않은 작업이 될 것입니다.

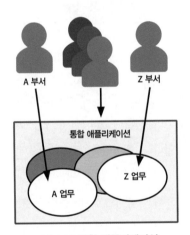

그림 3.16 **통합 애플리케이션**

몇 년 전 모 전자회사에서 수천억 규모의 프로젝트에 참여한 적이 있었습니다. 핸드폰, 가전 등의 생산을 관리하는 생산 관리 시스템이고, 생산과 관련된 모든 업무와 기능이 하나의 애플리케이션으로 통합되어 실행되는 시스템이었습니다. 애플리케이션을 수정 배포해야 하는 상황에서는 아주 작은 기능의 변경이라도 직접적인 관련이 없는 모든 인원이 변경 배포에 대한 영향에 대비해야 했고, 변경 절차도 아주 복잡한 단점이 있었습니다. 마이크로서비스 측면에서는 분명 서비스를 분할하여 생산 관리 시스템과 직접 관련이 없는 부가적인 기능들만 묶어서 따로 분리하는 것도 가능할 것입니다.

그런데 문제는 공장과 같은 생산 설비와 연결되는 시스템들은 'B2C'나 'B2B' 같은 사업 모델과 성격이 다르고, 공장 현장의 생산과 관련된 기능과 특성이 있어 아키텍처적인 접근만으로는 시스템의 구조를 단일 아키텍처 스타일로만 정의하기에는 조심스러운 부분이 있습니다.

당시 모놀리스 환경에서는 최적의 아키텍처를 제안하여 구축된 시스템이고, 현재까지도 별문제 없이 잘 운영되고 있습니다. 오히려 이러한 시스템들은 점진적 접근으로 메인 프로세스처리와 직접적인 관련이 없는 영역을 별도로 분리해 조금씩 마이크로서비스화하는 전략을 선택하는 것이 좋은 방안일 것입니다.

상관관계 분석

서비스와 데이터 간 종속성

서비스가 될 수 있는 여러 개의 후보 기능들이 존재하고, 이들 기능은 데이터베이스에 연결되어 있습니다. 모놀리스 환경에서는 일반적으로 통합 데이터베이스에서 데이터를 통합하여 운영합니다. 만약 이와 같은 시스템적인 환경을 바꿀 수 없는 경우라면 최소한 데이터 간 논리적인 경계를 구분할 수 있는 스키마 단위로 나누는 방법이 일반적인 접근일 것입니다.

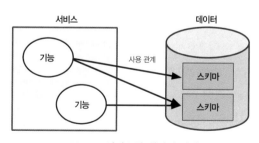

그림 3.17 **서비스와 데이터 관계**

기능은 서로 다른 스키마를 참조해야 하는 경우가 많고, 스키마의 경계를 넘어서 참조해야 할 경우 데이터베이스의 종류에 따라 다르겠지만, 별칭(synonym) 기능을 적용하여 구현할 것입니다. 마이크로서비스 아키텍처 관점에서는 서비스에서 참조하는 데이터의 경계를 넘어서까지 참조해야 하는 연결 관계는 지양합니다. 서비스 내에서의 모든 기능이 참조하는 데이터는 같은 스키마를 참조하기 바랍니다. 서비스와 직접적인 관련이 있는 데이터는 해당 서비스가 참조하는 데이터 스키마에 포함하는 것이 직관적이고, 마이크로서비스 아키텍처가 지향하는 서비스와 데이터 간의 연결 구조입니다.

서비스 간의 종속성

서비스 후보 기능 간의 사용 관계 분석을 통해서 기능 간의 결합도를 파악할 수 있습니다. 프로그램 코드 수준의 분석이 아닌 업무 기능 단위 수준에서 분석의 수준을 정해야 합니다. 이미 구축된 시스템에서 기능을 분리하려 한다면 시스템에 큰 영향을 미치지 않는 기능부터 점진적으로 오랜 기간 충분한 검토 과정을 두고 진행하기 바랍니다.

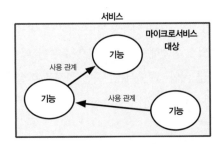

그림 3.18 **기능 간 사용 관계**

후보 기능들은 나중에 마이크로서비스로 식별되어 정의될 것이고, 이들 간의 호출 관계는 기능 간 사용 관계, 즉 기능 내부의 함수 호출에서 HTTP 프로토콜 기반의 REST URI 호출로 변경될 것입니다. 모든 기능에서 공통으로 호출하는 공통된 기능에 대해서는 라이브러리화해서 일괄적으로 배포 관리할 것인지 아니면 공통의 REST 서비스로 둘 것인지는 사용 빈도수와 참조하는 서비스의 수에 따라 결정될 것입니다.

데이터 간의 종속성

데이터 간의 종속성을 분리하기 위해서는 마이크로서비스 단위별로 데이터베이스를 분리하는 것을 권합니다.

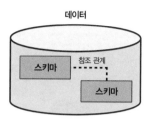

그림 3.19 **스키마 간 참조 관계**

하지만 데이터 분리로 서비스의 호출 관계가 늘어나고, 서비스 간의 데이터를 연계해야 하는 경우도 있을 것입니다. 기술적인 문제에서부터 유형별 특성과, 상용 데이터베이스의 라이선스(license) 비용 등의 문제까지 그리 간단한 문제는 아닙니다.

데이터베이스를 분리 구성할 수 없는 경우 스키마를 분리하여 서비스에 대응하는 방법도 있습니다. 스키마 구분을 이용한 데이터의 경계 구분은 데이터의 주제 영역과 관련이 있습니다. 데이터의 주제 영역은 데이터 분류를 위한 최상위 수준에서의 군집이고, 도메인의 특성, 업무 및 비즈니스의 속성을 반영하여 서비스와 관련이 높습니다. 데이터 간 결합도를 최소화할 수 있는 논리적 구분 방법의 하나라고 할 수 있습니다.

그런데 한 가지 생각해 봐야 할 것이 있습니다. "통합된 데이터베이스를 운영하다가 여러 개로 나뉜 데이터베이스를 사용하면 트랜잭션(transaction) 처리를 어떻게 보장하는가?"라는 문제입니다. 좀 더 정확히는 "트랜잭션이란, 결국 CUD(Create/Update/Delete)를 처리해야 하는 경우이고, 분할된 서비스끼리 데이터를 어떻게 처리해야 하는가?"라는 문제입니다.

결론부터 말하자면 데이터베이스 수준의 트랜잭션이 아닌 설계 단계에서부터 서비스 수준에서 처리하거나 혹은 큐(queue) 메커니즘을 이용하여 데이터를 동기화하는 구조를 생각해 볼 수 있습니다.

즉, 되도록이면 마이크로서비스 단위로 독립적으로 데이터 설계가 되어야 하고, 부득이한 경우 데이터 속성을 중복해서 가지는 것을 허용하고, 큐와 같은 메커니즘을 이용해서 서로 다른 마이크로서비스 간의 데이터를 비동기적으로 맞춰 주는 것입니다.

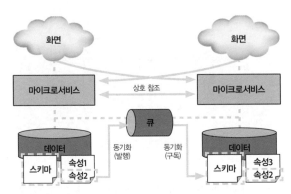

그림 3.20 **마이크로서비스 간 데이터 연계**

마이크로서비스 식별

마이크로서비스 식별은 도메인의 이해에서 출발하여 상관 분석까지 나름의 전략에 대해서 고민해 보아야 합니다. 도메인을 이해하고 도메인 내에서의 '사용자 유형', '업무 흐름', '조직의 구성' 등과 업무 처리를 위해 부서별로 사용하는 '언어', '용어' 등의 요소들은 서비스의 영역을 구분 짓고 마이크로서비스를 식별할 수 있는 충분한 단서가 됩니다. 이렇게 식별된 서비스에는 고유의 주소를 부여하여 유일한 서비스로서 독립성을 가지게 됩니다. 서비스에 부여된 주소를 이용하여 필요에 따라 다른 서비스를 참조할 수 있습니다.

마이크로서비스를 위한 고려 사항

조직의 구성

서비스를 운영하는 조직은 소규모의 팀 단위로 구성되어야 합니다. 조직의 규모가 크다는 것은 관리할 요소가 많고 이해관계가 복잡하다는 것을 뜻합니다. 의사결정을 위한 프로세스도 많아지고, 서비스를 만들고 배포하는 시간도 자연스레 늘어납니다. 마이크로서비스에 맞는 조직의 구성과 조직의 권한까지 위임하는 것이 이상적인 모습이라 할 수 있습니다. 운영 측면의 조직도 중요하지만, 시스템 구축 단계의 조직 구성도 생각해 봐야 합니다.

그림 3.21 **조직의 구성**

적게는 수십 명에서 많게는 수백 명이 참여하는 프로젝트를 수행하다 보면 팀 구성은 늘 역할 중심으로 모여 있습니다. 업무팀, 아키텍처팀, 품질팀, 프로젝트 관리팀끼리 모여 있습니다. 협업이 필요하면 시간을 잡고 모여서 회의하고 회의록을 남기고 돌아가서 반영하고 이 과정이 반복됩니다. 물론 업무적 특성으로 같은 일을 하는 역할자끼리 모여 있으면 시너지 효과를 발휘할 수 있습니다. 만일 현재 수행 중인 프로젝트가 마이크로서비스 아키텍처를 구축해야 하는 프로젝트이고, '각 팀이 개발해야 할 서비스가 독립적으로 실행될 수 있다'라면 팀별 조직의 구성은 '디자이너', '기획자', '아키텍트', '개발자' 등이 한 팀을 이루는 '온전한 팀(whole team)' 구성이 효율적이고 효과적입니다.

애자일과 데브옵스의 테일러링

애자일 방법론과 데브옵스 체계는 마이크로서비스의 기획에서 배포 생명주기와 궁합이 잘 맞는다고 할 수 있습니다. 마이크로서비스 궁극의 목표가 민첩한 서비스입니다. 기획에서 배포까지 빠르게 개발해서 배포할 수 있는 방식은 애자일 방법론에서 강조하는 반복적이고 점진적인 개발 방법과 소통의 문화와 일맥상통합니다. 그리고 기획에서 개발, 빌드, 테스트, 배포, 운영까지 자동화·시각화할 수 있는 체계는 데브옵스의 지향점과도 맥락을 같이한다고 할 수 있습니다.

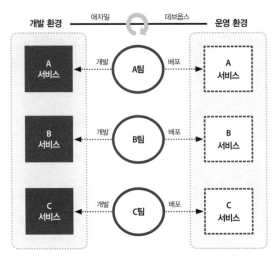

그림 3.22 **개발 배포 프로세스**

애플리케이션 개발에서 배포까지의 프로세스가 모놀리스 환경에서는 하나의 애플리케이션에 대해서만 국한해서 고려되었으나, 서비스의 개수가 많아지면서 다수의 서비스에 대해서 고려되어야 합니다. 서비스마다 담당 팀이 실행 가능한 서비스를 만들어 배포합니다. 이러한 일련의 프로세스와 방법들이 애자일과 데브옵스에 녹아 들어가야 합니다. 개발의 방법적인 측면에서 애자일하게 진행되고, 개발에서 운영으로 자연스럽게 연결되는 데브옵스 체계를 갖추어야 합니다.

클라우드 네이티브 기술 환경

마이크로서비스는 결국 작은 서비스를 얼마나 빠르게 운영 환경에 독립적으로 배포 실행할 수 있느냐가 핵심입니다. 과거에 모놀리스 환경에서 이러한 개념적 접근이 실체화되기까지 어려웠던 이유는 클라우드 네이티브 인프라 환경이 성숙하지 못했던 것도 하나의 이유가 될 것입니다.

그림 3.23 **클라우드 네이티브 기술 환경**

최근 클라우드 환경의 발전과 더불어 세계적인 플랫폼 사업자들은 애플리케이션을 쉽고 빠르게 만들어 실행하고 운영 관리할 수 있는 환경까지 제공합니다. 애플리케이션 측면에서도 논리적으로 독립된 가상의 격리 환경을 제공하는 도커 컨테이너 기술의 활용 확산으로 소스를 패키지하는 방식 자체가 변했습니다. 클라우드 네이티브 기술 환경의 발전은 마이크로서비스를 넘어 기능 단위 서비스까지 확대 발전을 더욱 가속화하고 있습니다.

마이크로서비스 아키텍처 설계

마이크로서비스 아키텍처는 마이크로서비스와 아키텍처를 구분해서 생각해야 합니다. 마이크로서비스는 의미 그대로 작은 서비스에 집중하는 것이고, 아키텍처는 작게 만들어진 서비스가 실행될 수 있게 지원하는 기술적인 요소에 집중합니다.

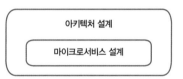

그림 4.1 **마이크로서비스와 아키텍처**

마이크로서비스 설계(microservice design)는 "서비스 대상을 무엇으로 할 것인가?", "서비스의 크기는 어느 정도의 크기가 적당한가?", "서비스 간의 결합도는 낮은가?", "서비스는 응집성이 높은가?"라는 질문들을 만족시키기 위한 설계가 필요합니다. 마이크로서비스는 도메인 내의 서비스 본질에 집중하고, 서비스 본연의 주요 관심사를 분석하여 가장 작은 단위의 서비스로 분할하고 식별하는 것입니다.

반면에 아키텍처는 "마이크로서비스의 가용성을 보장할 수 있는 아키텍처 구조는 무엇인가?", "탄력성 있는 기술 구조는 어떻게 구성해야 하는가?", "서비스 간에는 어떠한 프로토콜로 연계를 하는 게 적절한 방법인가?"와 같은 아키텍처 구성 관점의 질문들을 만족시키기 위한 설계가 필요합니다.

즉, 마이크로서비스 본질에 대한 고민과 이렇게 만들어진 서비스의 빠른 개발과 배포 그리고 안정적이고 효율적인 운영을 위한 아키텍처 구조 설계로 나누어 생각해 볼 수 있습니다.

이번 장에서는 마이크로서비스와 아키텍처의 이해를 돕기 위해서 아주 단순한 '커피 전문점 서비스' 사례로 알아보겠습니다.

4.1 마이크로서비스 설계

커피 전문점 서비스 이해

커피 전문점 서비스 개요

"선선한 바람이 불고 햇살이 좋은 오전 집 앞 커피 전문점을 찾았습니다. 여느 때와 같이 '아메리카노' 한 잔을 옆에 두고 책을 쓰기 위해 커피 전문점 문을 열고 들어갑니다. 카운터에서 커피 전문점 직원이 반가이 인사를 하고 저는 '아메리카노' 한 잔을 주문합니다. 커피 전문점 직원은 저에게 포인트 적립이나 각종 이벤트 적용 가능 여부를 확인하기 위해 회원 유무를 확인합니다. 그리고 곧 '아메리카노' 한 잔이 계산된 금액과 주문 번호가 찍힌 주문 번호표를 뽑아서 저에게 건넵니다. 저는 빈자리로 돌아가 제가 주문한 커피가 준비되기를 기다립니다. 주문한 커피가 준비되면 직원이 주문 번호를 부르면서 커피가 준비되었다고 알려 주고 전 커피를 받아갑니다."

'커피 전문점 서비스'는 커피 전문점을 찾은 고객이 카운터에서 커피를 주문하고, 자신이 주문한 커피가 준비되어 주문 번호가 불리면 찾아가는 아주 간단한 서비스를 설계하겠습니다. 여기서 설계는 업무 기능 설계가 아니라 아키텍처 관점에서의 마이크로서비스가 어떠한 구조를 가지는가에 대한 구조 설계입니다.

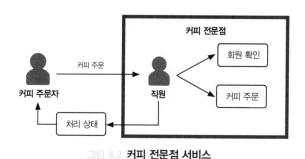

그림 4.2 **커피 전문점 서비스**

실습을 위한 임의의 시나리오로 단순하고 작은 사례이지만, 이보다 복잡한 업무도 결국에 분할되는 서비스의 단위는 '커피 전문점 서비스' 사례에서 정한 크기와 큰 차이는 없을 것입니다. 왜냐하면 앞서 우리가 살펴본 것과 같이 마이크로서비스의 크기가 작게 분할되어 독립된 서비스를 실행할 수 있는 크기의 서비스이기 때문입니다. 작은 서비스들이 만들어지고 이들이 필요에 따라 상호 통신하여 더 큰 서비스를 수행하는 것이 마이크로서비스가 가지는 장점입니다.

시나리오를 좀 더 확장해서 생각해 보면 각 매장에서 판매되는 판매 현황 데이터는 실시간으로 본사로 전송하여 고객 맞춤형 이벤트나 새로운 메뉴 개발을 위한 기초 데이터로 활용할 수도 있습니다.

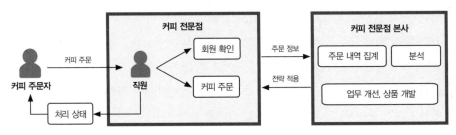

그림 4.3 **커피 전문점 서비스 확장**

메시지가 실시간으로 전달되고 수집된 주문 데이터를 분석해 사람들이 선호하는 메뉴를 개발하거나 선호하지 않는 메뉴는 제외하는 등 고객 맞춤형 서비스나 기업 매출 증진을 위한 데이터 수집, 분석 등의 서비스까지 추가로 확장할 수도 있는 것입니다.

다시 '커피 전문점 서비스' 사례로 돌아와서 우리가 앞서 가정한 일련의 업무 흐름을 직원들은 카운터에 비치된 '커피 주문 처리' 시스템을 통해서 처리한다는 가정을 세워 봅니다.

사례

'커피 전문점 서비스'에 대해 이해한 내용을 업무 사례 관점에서 한번 정리해 봅니다. 업무 사례를 통해서 업무의 흐름과 시스템이 어떻게 사용되는지에 대한 이해를 더 할 수 있습니다.

'커피 전문점 서비스' 업무 사례를 간략하게 정리해 보면 다음과 같습니다.

표 4.1 커피 전문점 서비스 업무 사례

이해관계자	커피 주문 고객, 커피 전문점 직원
커피 주문 고객	커피 주문 고객이 커피 전문점 직원에게 커피의 종류를 이야기하고 커피를 주문합니다. 자신이 주문한 커피 제조 상태를 실시간으로 확인합니다
커피 전문점 직원	직원은 커피 주문 고객이 온라인 회원인지 확인한 후 주문 처리를 합니다. 커피 전문점 직원은 주문 처리 상태를 변경하고 제조가 완료되면 주문자에게 알려 줍니다

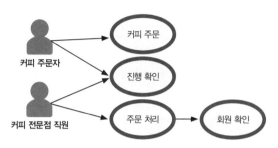

그림 4.4 **커피 전문점 서비스 업무 사례**

커피를 주문한 고객은 커피를 주문하고 자신의 주문 내역을 실시간으로 확인할 수 있습니다. 커피 전문점 직원은 커피 주문을 처리하고 이 과정에서 커피를 주문한 주문자가 커피 전문점의 온라인 웹 페이지 회원으로 가입되어 있는지 확인합니다.

서비스 대상은 무엇이며 크기는 적절한가?

마이크로서비스를 설계하기 위한 첫 번째 질문입니다. 넓은 범위에서는 서비스의 경계를 구분하는 것입니다. 서비스의 경계를 식별하는 데 도움이 되는 이론은 에릭 에반스가 지은 《도메인 주도 설계》에서 잘 설명하고 있습니다. 《도메인 주도 설계》에서는 이 경계를 '바운디드 콘텍스트(bounded context)'라는 용어로 정의하였습니다. 이 예제의 목적은 도메인 주도 설계 목적이 아닌 전체적인 아키텍처 구조 설계와 구성에 초점을 두고 있어 '도메인 주도 설계'에 대해서는 이론적인 내용은 언급하지 않습니다. 서비스 경계에 대한 좀 더 체계적인 이해가 필요하다면 위에서 언급한 서적을 포함해서 그 외 다수의 관련 서적을 참고하기 바랍니다.

필자가 최근 수행한 프로젝트에서는 서비스 경계의 기준을 '업무의 흐름', '업무의 중요도', '업무의 형태' 등의 관점으로 접근하여 식별하였습니다. '커피 전문점 서비스' 업무 사례의 경우를 보면 '업무의 흐름'이란, '커피 주문 처리 → 커피 제조 → 주문 처리 상태 알림'처럼 업무 간의 절차가 있고, 절차상에서 관심사가 서로 다르다는 것을 이해할 수 있습니다.

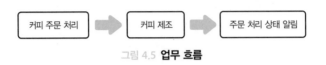

그림 4.5 **업무 흐름**

'업무의 중요도'로 분류하는 것은 핵심 업무와 비핵심 업무 그리고 공통으로 제공해야 하는 업무들로 분류하는 것입니다. 예를 들어, 커피를 주문하고 처리 상태를 알려 주는 일은 핵심 업무입니다. 이외 부가적으로 이벤트로 설문이나 쿠폰 정보 알림, 무료 인터넷 서비스, 광고 등은 사례에서 표현하지는 않았지만, 비핵심 업무이거나 때에 따라서는 공통 업무가 될 수 있습니다. '업무의 형태'로 분류하는 것은 실시간으로 해결되어야 하는 것인지 아니면 일 단위, 월 단위로 처리되어야 하는 일인지에 대한 분류입니다. 식별된 서비스들은 업무의 성격에 따라서 분류될 수 있을 것입니다. 이를테면, 주문을 처리하는 것은 실시간으로 되어야 하지만, 일 단위 매출을 정산하는 일은 일 단위로 실행하면 되는 것입니다. 이러한 관점에서 '커피 전문점 서비스'의 서비스 후보들을 도출하고 분류하여 정의하였습니다. 물론, 이러한 기준과 판단, 서비스 분류에 의한 서비스 식별이 절대적인 기준은 아니고, 이론과 경험들을 테일러링하여 해당 프로젝트의 업무 전문가들과 충분한 검토와 합의 후에 결정됩니다.

커피 전문점 마이크로서비스 개념 설계

커피 전문점 마이크로서비스 식별

서비스 대상의 경계 기준을 '업무 흐름', '업무 중요도', '업무 형태' 등의 관점에서 서비스를 나누어 봅니다.

그림 4.5의 업무 흐름상에서 커피 주문 처리와 관련된 일, 주문된 커피를 제조하는 일, 주문 상태를 확인하는 일, 회원 여부를 확인하는 일, 커피 제조가 완료되어 알려 주는 일 등은 업무 측면에서 서로 주요 관심사가 다르다고 판단하고 의도적으로 나누어 봅니다.

'주문 처리 – 커피 제조 – 주문 처리 상태 알림' 세 가지 일이 순차적으로 이루어지지만, 먼저 주문한 커피가 주문한 고객에게 최종 전달되어야 다음 주문을 받을 수 있는 것은 아닙니다. 따라서 커피를 주문하는 일과 커피를 제조하는 일은 순서는 있지만, 분리해도 무리는 없습니다.

'커피 주문 서비스' 측면에서 주요 관심사는 커피 종류, 커피 개수, 커피 가격, 주문자 정보 등이고 '커피 제조 서비스' 측면에서 주요 관심사는 주문 순서, 커피 종류, 제조 방법, 커피 재료, 커피 개수, 진행 상태 등입니다. 이를 정리해 보면 표 4.2와 같습니다.

표 4.2 **커피 전문점 서비스의 업무별 관심사**

커피 주문의 관심 사항	커피 종류, 개수, 가격, 주문 고객의 회원 유무 확인
커피 제조의 관심 사항	주문 순서, 커피 종류, 제조 방법, 커피 재료, 제조 기계, 제조 시간, 재료 배합, 커피 개수, 진행 상태

관심사항들은 마이크로서비스의 속성으로 선언됩니다. 마이크로서비스가 독립된 서비스로 실행되려면 도출된 속성들만으로도 서비스할 수 있어야 합니다.

그리고 관심사항을 좀 더 유심히 살펴보면 커피 주문과 커피 제조의 관심사항 양쪽에 모두 중복되어 존재하는 속성들이 있습니다. 이렇게 중복되는 속성들은 결국 데이터 모델 측면에서는 중복된 속성을 가질 수 있습니다. 이것은 모놀리스 시스템에서 일반적으로 적용하는 관계형 데이터 모델 설계와는 다른 특성입니다. 관계형 데이터 모델에서 속성은 전체를 통틀어 하나만 있어야 하고, 중복 속성을 지양합니다. 다시 '커피 전문점 서비스' 사례로 돌아와서 사례를 보다 상세하게 들여다보겠습니다.

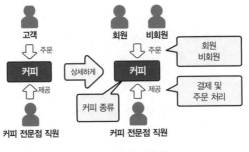

그림 4.6 **서비스 사례**

먼저, 커피 주문의 주요 역할은 주문입니다. 주문의 대상이 커피이고, 주문 시에 참조해야 하는 정보는 주문 고객의 '회원 가입 여부'입니다. '커피 주문'이 핵심이고, '회원 가입 여부'는 업무 흐름에서 핵심적인 일은 아닙니다. 다만 고객을 위한 부가적인 혜택(할인, 쿠폰 등)을 제공하기 위한 업무입니다. 따라서 '커피 주문'은 핵심 업무, '회원 확인'은 비핵심 업무로 구분해 봅니다.

두 번째로 '커피 제조'의 주요 역할은 커피의 제조와 주문한 고객의 커피가 준비되었다고 알리는 일입니다. 커피 제조는 오프라인상에서만 행해지는 일이고, 시스템에서 구현할 수 있는 일이 아니므로 서비스 구현 대상에서 제외하였습니다. 대신 커피의 주문 처리 상태를 알려 주는 일을 서비스로 식별할 수 있습니다. 이를 '주문 처리 상태 알림' 서비스로 식별합니다. 이렇게 정리하면 두 개의 관심 사항에서 식별된 마이크로서비스는 '커피 주문', '회원 확인', '주문 처리 상태 알림' 총 세 개의 서비스를 식별할 수 있습니다.

커피 전문점 업무 간 관계

커피를 주문 받는 직원은 커피의 종류와 회원 여부, 개수, 가격 등에 관심이 있지만, 커피를 만드는 직원은 재료의 배합, 커피 추출기계의 조작, 커피 종류 및 개수에 관심이 있습니다. 물론, 관심사가 다르다고 하여 완전히 분리된 일은 아닙니다. 커피 주문을 받은 직원은 주문 내역을 알려 줘야 하기 때문입니다. 커피 주문을 받은 직원이 커피를 만드는 직원에게 주문했다는 내역만 알려 주고 본인의 역할로 돌아가는 것입니다. 커피가 잘 만들어지고 있는지는 관심이 없습니다. 그 일은 커피를 만드는 직원이 하는 일이기 때문입니다.

그림 4.7 **업무 관계**

마이크로서비스의 후보를 식별했다면 다음은 서비스 간의 관계를 확인해야 합니다.

업무 처리를 분리하는 것이 분리된 업무 간에 처리 상태만 공유해도 업무 흐름에 큰 지장이 없다는 것을 알 수 있습니다. 서비스 입장에서는 주문한 내역만 알려 주면 되고, 커피를 제조하는 현황을 보여 주는 커피 제조 서비스는 '주문'이라는 이벤트가 발생하기까지 기다렸다가 이벤트가 발생한 후에 이벤트를 감지하고 커피 제조를 시작하면 됩니다.

시스템 측면에서 해석해 보면 선행 프로세스와 후행 프로세스의 처리가 순차적으로 이루어지지만, 꼭 실시간으로 처리할 필요는 없고 선행 프로세스가 결과 이벤트를 알리고 후행 프로세스에서는 선행 프로세스의 이벤트를 감지하여 비동기적으로 프로세스를 처리해도 문제 되지 않는다는 것을 알 수 있습니다. 선행 프로세스에서 메시지 발행하는 이벤트를 발생시켜 메시지를 보내면 메시지 구독인 후행 프로세스는 메시지를 구독한 후 자기 일을 수행하면 됩니다.

'커피 주문'과 '커피 제조' 서비스는 '알림' 이벤트를 통해 서로 느슨한 관계를 맺습니다.

화면 설계

커피 전문점 직원이 사용하는 주문 처리 단말기 시스템 화면은 커피 주문을 처리하기 위한 화면입니다. 모놀리스 애플리케이션 환경에서는 앞서 알아본 '커피 전문점 서비스'의 일련의 절차와 관련된 모든 기능이 하나의 화면에서 처리됩니다. 하지만 마이크로서비스 환경에서는 각각 분할된 형태의 화면으로 개발해서 필요에 따라 화면을 결합하여 사용하기도 합니다. 이것이 가능해지려면 서비스 단위로 화면이 잘 분할되어 있어야 합니다.

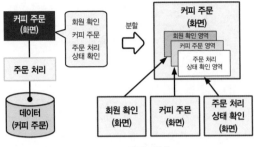

그림 4.8 **화면 설계**

'커피 주문'이라는 화면 영역은 회원 유무를 확인하기 위한 영역, 커피의 종류와 결제를 위한 영역과 제조 상황을 공유하기 위한 커피 제조 상태를 조회하는 영역으로 나누어 접근해 볼 수 있습니다. 각 영역별로 독립적으로 설계된 화면이 존재하고, 하나의 화면에서 조합되어 커피 주문 화면이 구성됩니다.

사실 구축 프로젝트 상황에서는 화면까지 마이크로서비스로 분리해서 개발하기는 쉽지 않습니다. 납기와 품질, 인력 구성 등 여러 측면에서의 제약 사항과 경험적 사례가 충분하지 않고, 현재까지는 이해도가 높지 않은 이유도 있습니다. 일반적으로 핵심 업무와 관련된 화면은 통합된 소스 관리 형태로 제작되고, 예를 들어 범용적으로 사용되는 설문이나 게시판 등과 같은 업무 기능들에 대해서는 별도로 제작하여 많이 사용합니다.

'커피 전문점 서비스' 실습 예제 화면은 별도로 만들지 않고, 개념적인 내용으로 대체합니다 .

서비스 설계

서비스 설계는 앞서 식별된 세 개의 마이크로서비스인 '커피 주문', '회원 확인', '주문 처리 상태 알림'의 설계입니다. 각각의 서비스는 독립된 프로젝트로 구성합니다.

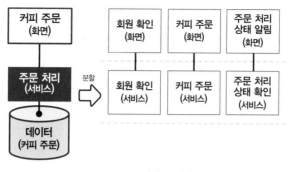

그림 4.9 **서비스 설계**

커피를 주문한 고객이 회원인지 유무를 확인하는 '회원 확인 서비스', 커피 주문 처리를 하는 '커피 주문' 서비스, 커피 주문 내역을 이벤트로 전달받아서 '주문 처리 상태 확인'을 알려 주는 서비스로 분할합니다.

그림 4.10 **서비스 간 관계**

'커피 주문' 서비스는 커피 주문 고객의 회원 여부 확인을 위해서 '회원 확인' 서비스를 호출하여 반환되는 결괏값을 사용합니다. 반환값은 'True' 또는 'False'로 반환됩니다. 커피 주문 내역은 실시간으로 '주문 처리 상태 확인' 서비스로 전달됩니다.

데이터 설계

마이크로서비스에서 데이터는 서비스 내에 국한되어 사용하는 데이터입니다. '커피 전문점 서비스'의 사례를 통해서 알 수 있듯이 '회원 확인'을 위한 서비스가 사용되는 데이터가 '커피 주문' 서비스에 포함될 필요는 없습니다. 서비스별로 사용하는 데이터는 각 서비스가 정의하여 사용하면 됩니다. 서로 다른 서비스의 데이터를 참조할 필요가 있으면 노출된 REST API를 이용해서 호출하여 전달받으면 됩니다. 그리고 데이터를 관리하는 데이터베이스의 형태도 관계형 데이터베이스나 NoSQL(Not only SQL) 등 데이터의 성격에 따라 다양한 형태의 유형이 있을 수 있습니다.

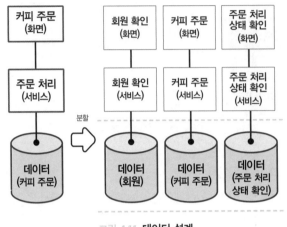

그림 4.11 **데이터 설계**

각 마이크로서비스의 데이터는 앞서 도출한 관심사항의 속성들이 됩니다. 필요에 따라서는 속성들이 각 서비스에 중복해서 정의될 수 있습니다. 만약 중복된 속성 구조를 허용하지 않는다면 매번 다른 마이크로서비스가 가진 데이터를 참조해야 하므로 REST API 호출이 빈번하게 발생합니다. 즉, 타 서비스에 종속된 서비스가 만들어집니다. 만약 '커피 이름'이란 속성이 '커피 주문' 서비스의 데이터로만 있다면 '주문 처리 상태 확인' 서비스는 '커피 이름' 속성을 사용하기 위해서 항상 '커피 주문' 서비스를 호출해야 하고, '커피 주문' 서비스에 문제가 생기면 전체 서비스가 영향을 받습니다.

메시지 전송 방식 설계

'커피 전문점 서비스'는 업무 흐름상 동기 방식의 메시지 흐름까지는 필요 없습니다. 그렇다면 주문하는 서비스와 처리하고 상태 정보를 알려 주는 서비스는 느슨하게 결합된 형태로 상태 정보를 알려 주면 됩니다. 시스템 간 느슨한 결합과 탄력적인 아키텍처 구성을 위해서 메시지 큐(message queue)를 이용하여 메시지를 전달하는 이벤트 기반 메시지 전송 방식으로 설계가 이루어져도 무방합니다.

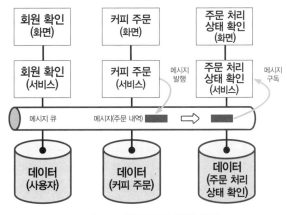

그림 4.12 **메시지 전송 방식 설계**

'커피 전문점 서비스' 사례에서 '커피 주문' 서비스를 이용하여 커피 주문을 처리하고 주문 상태를 메시지 큐로 전달하면 전달된 메시지는 '주문 처리 상태 확인' 서비스에서 구독하여 실시간으로 현황을 화면에 보여 줍니다. 메시지를 발행하는 서비스를 '생산자'라고 하고, 발행된 메시지를 구독하는 서비스를 '소비자'라고 합니다. 메시지를 생성하는 서비스는 수신할 서비스의 유무에 관계없이 메시지를 생성하여 메시지 큐에 등록합니다. 등록된 메시지가 필요한 서비스는 이를 구독하여 서비스에 활용합니다. 메시지를 생성하여 메시지 큐에 등록하는 과정을 메시지 발행이라고 하고, 생성된 메시지를 선택적으로 활용하는 과정을 메시지 구독이라고 합니다. 메시지를 발행하고 구독하는 방식은 서비스 간의 직접적인 결합이 발생하지 않고 느슨한 결합을 하게 도와줍니다.

일상생활에서 택배 기사님이 택배함에 배송할 물건을 두고 알려 주면 택배 수령인이 즉시 혹은 약간의 시간을 두고 찾아가는 원리와 같습니다.

그림 4.13 **택배 서비스**

택배 기사님과 택배를 찾으려는 사람이 직접 만나지 않아도 되고, 만나기 위해 약속하고 기다리는 불필요한 노력 비용이 들지 않습니다.

커피 전문점 마이크로서비스 구조 설계

마이크로서비스 프로젝트 구조 설계

다수의 팀에서 다수의 마이크로서비스를 개발하기 위해서는 프로젝트 관리 전략이 필요합니다. 여기서 말하는 '프로젝트'란 자바 기반으로 마이크로서비스를 만들 때 하나의 마이크로서비스를 관리하기 위한 '소스의 묶음' 단위입니다. 단순하게 애플리케이션을 만들기 위한 자바 프로젝트 하나, 즉 마이크로서비스 하나를 만들기 위한 크기의 소스 묶음이라고 생각하면 이해하기 쉬울 듯합니다.

다수의 팀에서 팀별 프로젝트는 분리하여 구성하는 것이 좋습니다. 그리고 팀별로 별도의 프로젝트를 구성하여 팀 간에도 소스 수준의 의존 관계는 끊습니다.

만약 분리된 팀에 할당된 프로젝트 내부에서 다시 하위로 더 작게 나뉜 다수의 마이크로서비스를 개발할 경우에는 팀별 프로젝트 하위에 다시 복수 개의 프로젝트를 별도로 구성할 수 있습니다. 이러한 계층 관계를 개념적으로 도식화해서 보면 그림 4.14와 같이 구성할 수 있습니다.

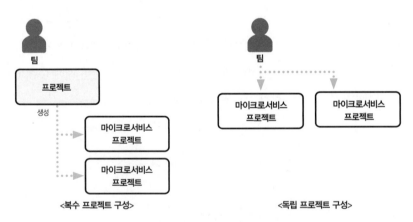

그림 4.14 **마이크로서비스 프로젝트 계층 관계**

복수 프로젝트 구성과 독립 프로젝트 구성 방법이 있습니다. 복수 프로젝트 구성은 하나의 프로젝트 하위에 N개의 하위 프로젝트를 구성할 수 있고, 하위 프로젝트들 각각 독립된 마이크로서비스로 동작합니다. 이런 형태의 구성은 독립된 마이크로서비스가 부모 프로젝트와 밀접한 관계를 맺거나 혹은 프로젝트 상황에 따라 구성될 수 있는 구조입니다. 독립 프로젝트 구성은 의미 그대로 마이크로서비스 하나당 독립된 프로젝트를 구성하고, 팀 측면에서는 N개의 독립된 프로젝트를 담당할 수 있습니다. 프로젝트 구성은 마이크로서비스 프로젝트의 크기와 팀의 구성, 운영 환경 등 다양한 변수를 고려해서 상황에 맞는 전략과 구성이 필요합니다.

커피 전문점 마이크로서비스 프로젝트 구조 설계

'커피 전문점 서비스'는 한 팀에서 여러 개의 독립된 마이크로서비스를 만든다고 가정하였고, 프로젝트 소스 크기가 작은 예제이고, 복수 개의 프로젝트 구성에 관련한 이해를 돕기 위해서 '복수 프로젝트(multi-project)' 환경으로 구성하였습니다.

'깃(Git)' 주소 하나에 여러 개의 하위 프로젝트로 구성하였습니다. 물론, 단순한 예제를 위해서 작성한 프로젝트 구성이지만, 구축 프로젝트나 솔루션(solution) 개발 환경에서는 마이크로서비스당 하나의 '깃(Git)' 주소를 가진 독립된 프로젝트로 구성하는 것이 일반적입니다.

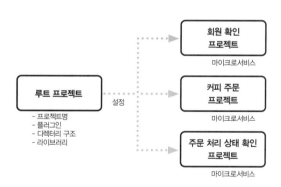

그림 4.15 **커피 전문점 서비스 프로젝트**

'커피 전문점 서비스' 프로젝트는 한 팀에서 개발하고, 하위에 성격이 다른 세 개의 마이크로서비스를 구성할 수 있다고 가정합니다. 그래서 앞서 설명한 것처럼 '복수 프로젝트'로 구성합니다. 루트 프로젝트 한 개, 마이크로서비스 세 개, 총 네 개의 프로젝트로 구성된 복수 프로젝트 환경으로 구성합니다. 루트 프로젝트는 하위 세 개 프로젝트의 이름과 패키지 구조 및 공통으로 사용할 공통 라이브러리를 지정합니다. 네 개의 프로젝트는 한 팀에서 개발하고 배포합니다.

루트 프로젝트는 전체 프로젝트의 관리를 위한 것이고, '회원 확인', '커피 주문', '주문 처리 상태 확인' 프로젝트는 마이크로서비스라고 이해하면 됩니다.

그림 4.16 **커피 전문점 서비스 프로젝트 계층 관계**

개발 프로젝트 측면에서 기능적 연관성을 살펴보면 그림 4.16과 같습니다. 커피 주문 프로젝트는 회원 확인 프로젝트를 서비스 수준에서 참조하고, 주문 처리 상태 확인 프로젝트는 데이터 수준에서 연계가 발생합니다.

커피 전문점 서비스 기능
지금까지 설명한 커피 전문점 서비스의 개략적인 시스템의 기능 흐름과 패키지 구조에 대해서 알아보겠습니다.

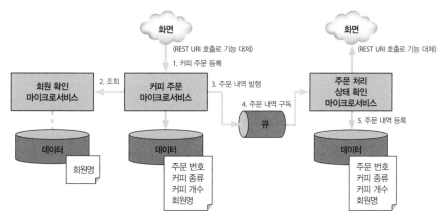

그림 4.17 **커피 전문점 마이크로서비스 기능 구성도**

1. 화면을 통해 커피 주문 내역을 입력합니다.

   주문 번호는 시스템에서 자동으로 부여하고 커피 종류 'espresso', 커피 개수 '2잔', 회원명 'kevin'이란 이름으로 주문합니다.

2. 'kevin' 회원이 등록된 회원인지 조회합니다.

   '커피 주문' 마이크로서비스는 주문 정보를 저장하고, 주문 내역을 큐를 통해서 '주문 처리 상태 확인' 마이크로서비스로 전달합니다.

3. 주문 정보를 전달 받은 '주문 처리 상태 확인' 마이크로서비스는 해당 내역을 데이터베이스에 저장합니다.

4. 상태 확인을 위해서 화면을 통해 조회하면 저장된 내역을 보여 줍니다.

커피 전문점 마이크로서비스 프로젝트

커피 전문점 마이크로서비스 프로젝트는 프로젝트의 관리를 위한 루트 프로젝트를 제외하고, '커피 주문', '회원 확인', '주문 처리 상태 확인' 마이크로서비스 등 총 세 개의 마이크로서비스 프로젝트로 구성되어 있습니다.

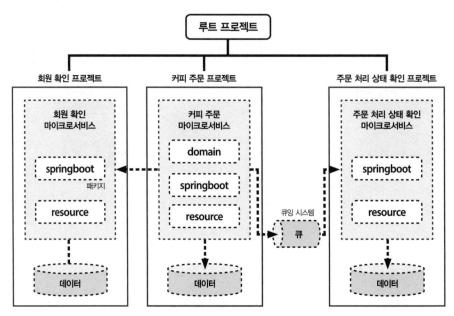

그림 4.18 **커피 전문점 마이크로서비스 프로젝트**

루트 프로젝트에 의해 구성된 하위 프로젝트는 표 4.3과 같이 정리됩니다.

표 4.3 **프로젝트 구성 내역**

프로젝트 구분	프로젝트 명	프로젝트 설명
루트	msa-book	마이크로서비스 프로젝트 관리
마이크로서비스	msa-service-coffee-member	회원 확인 서비스 프로젝트
	msa-service-coffee-order	커피 주문 서비스 프로젝트
	msa-service-coffee-status	주문 처리 상태 확인 서비스 프로젝트

커피 주문 마이크로서비스 패키지 구조 설계

마이크로서비스 패키지는 도메인 영역과 스프링부트(springboot) 영역으로 구분하여 구성하였습니다. 스프링부트라고 패키지명을 정한 이유는 예제 설명을 위한 소스가 스프링 프레임워크 기반으로 제작되었기 때문입니다. 그림 4.19는 마이크로서비스를 개발하기 위한 패키지 구조입니다.

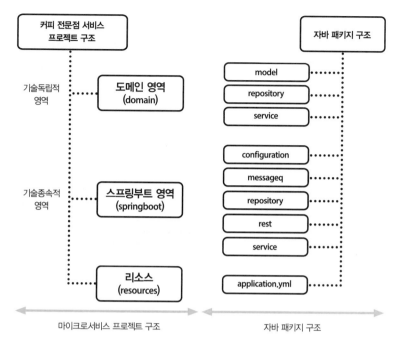

그림 4.19 **마이크로서비스 패키지 구조**

마이크로서비스 프로젝트의 구조는 크게 두 가지로 구분하였습니다. 도메인 중심의 기술 독립적인 영역과 기술 종속적 영역(스프링부트 영역)으로 분리 구성하였습니다.

표 4.4 **커피 주문 마이크로서비스 패키지 구성 내역**

패키지	서브 패키지	역할
domain	model	도메인 모델 설계
	repository	비즈니스 로직 처리 후 결과 저장
	service	비즈니스 로직 처리
springboot	configuration	데이터베이스, 로깅, 메시지 등 설정
	messageq	큐잉 시스템 설정
	repository	JPA, Mybatis 등 데이터 저장 방식 구현
	rest	REST URI 설정 및 구현
	service	도메인에서 구현한 서비스 실행
resources	application.yml(파일)	마이크로서비스명, PORT 등 설정

서비스 간의 결합도를 최소화하여 서비스의 독립성을 유지하는 것은 마이크로서비스의 핵심 사상입니다. 이와 더불어 서비스의 개발이 기술적인 제약사항에 영향을 받지 않고 도메인에 집중해서 설계될 수 있게 도메인 영역과 기술 영역을 구분하는 것은 아키텍처적인 측면에서 유연한 구조를 가지기 위한 중요한 전략입니다. 프로젝트 구성을 도메인 영역과 기술 종속적 영역으로 분할 구성하여 서비스 간의 독립성을 유지하고, 기술 환경에도 독립적인 설계 모델 적용으로 비즈니스 변화 대응에 더욱 유연하고 기술적으로 견고한 마이크로서비스와 아키텍처를 구성할 수 있습니다. 그림 4.20을 통해 프로젝트 영역 내 자바 패키지 간 관계에 대해서 좀 더 상세히 알아보겠습니다.

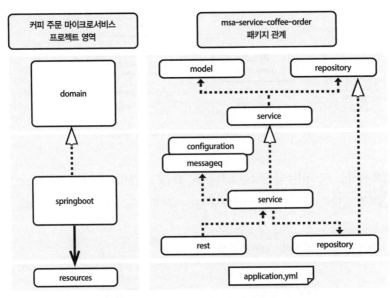

그림 4.20 **커피 주문 마이크로서비스 프로젝트 패키지 구조**

'커피 주문 마이크로서비스 프로젝트 영역'은 앞서 설명한 것처럼 크게 도메인 영역과 스프링부트 영역으로 나뉩니다. 도메인 영역에서 도메인과 관련된 업무 설계가 이루어지고 설계된 업무는 스프링부트 영역에서 상속하여 스프링부트 기술로 구현합니다. 스프링부트 영역에서 시스템에 관련된 주변 환경 정보를 참조하기 위해 리소스에 관련 설정 정보를 작성합니다. 정리하자면 도메인 영역에서 서비스에 필요한 핵심 로직을 만들고, 스프링부트 영역에서는 도메인 영역에서 만들어진 서비스를 시스템 환경에서 실행될 수 있게 구현하는 구조입니다.

domain 영역의 'service'는 'model'과 'repository'를 참조하여 순수 자바로만 서비스를 구현합니다. springboot 영역의 'service'는 domain 영역에서 구현한 기능을 상속받아서 실행합니다.

즉, 도메인 영역에서 정의하고 구현된 업무 로직을 기술 영역인 스프링부트 영역에서 실행하는 관계입니다. 마이크로서비스의 사용 요청이 외부로 노출된 마이크로서비스의 주소인 REST URI를 통해서 들어오면 'springboot' 영역의 'rest' 패키지에서 요청을 받아서 필요한 'service'를 호출하고, 'service'는 'domain' 영역에서 구현된 'service'를 상속하여 실행합니다.

'회원 확인' 마이크로서비스 패키지 구조 설계
'회원 확인' 마이크로서비스의 패키지 구조입니다.

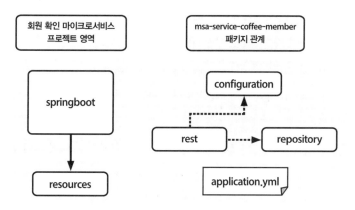

그림 4.21 **회원 확인 마이크로서비스 프로젝트 패키지 구조**

'회원 확인' 마이크로서비스 패키지 구조는 '커피 주문' 마이크로서비스와 구조와 다르게 'springboot' 영역만으로 구성하였습니다.

데이터베이스 설정을 위한 'configuration', 데이터 처리를 위한 'repository' 그리고 회원 조회 REST API를 구현하기 위한 'rest' 패키지로 구성되어 있습니다.

'주문 처리 상태 확인' 마이크로서비스 패키지 구조 설계

'주문 처리 상태 확인' 마이크로서비스를 위한 패키지 구조입니다.

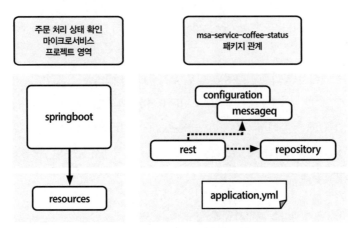

그림 4.22 **주문 처리 상태 확인 마이크로서비스 프로젝트 패키지 구조**

'주문 처리 상태 확인' 마이크로서비스 패키지 구조도 '커피 주문' 마이크로서비스 구조와 다르게 'springboot' 영역만으로 구성하였습니다.

데이터베이스 설정을 위한 'configuration', 데이터 처리를 위한 'repository' 그리고 메시지 구독을 위한 'messageq'와 상태 조회 REST API를 구현하기 위한 'rest' 패키지로 구성되어 있습니다.

지금까지 '커피 전문점 서비스'에 대해 알아보았습니다. 간략히 정리해 보면 표 4.5와 같습니다.

표 4.5 커피 전문점 서비스 마이크로서비스 요약

구분	회원 확인 마이크로서비스	커피 주문 마이크로서비스	주문 처리 상태 확인 마이크로서비스
프로젝트명	msa-service-coffee-member	msa-service-coffee-order	msa-service-coffee-status
개요	회원 가입 유무 확인	커피 주문	주문 내역 알림
주요 기능	회원 정보 관리	커피 주문(회원 조회 포함) 및 주문 내역 전송	주문 내역 수신 저장 및 주문 상태 확인 조회
설계 사상	독립된 서비스로 조회 제공	도메인과 기술 영역의 분리 구현 마이크로서비스 간 연계	비동기 방식의 데이터 수신 동기화
패키지 구성	springboot(스프링부트 영역) resources(설정 파일)	domain(도메인 영역) springboot(스프링부트 영역) resources(설정 파일)	springboot(스프링부트 영역) resources(설정 파일)
데이터 제어	Mybatis	JPA	Mybatis
큐잉 시스템	해당 사항 없음	카프카 메시지 발행	카프카 메시지 구독

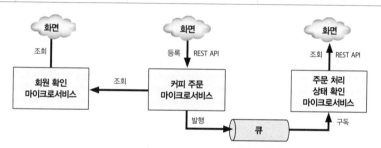

* 화면 구성과 구현은 REST API 테스트 도구로 대체함

4.2 마이크로서비스 아키텍처 설계

마이크로서비스 아키텍처는 아키텍처 스타일 중 하나입니다. 스타일은 아키텍처 측면의 접근 방법을 의미하며, 흔히 반복적으로 사용되는 아키텍처 접근법입니다. 코드 수준이 아닌 아키텍처 수준을 의미하며, 마이크로서비스를 구현하고 원활한 실행을 위해 잘 고안된 접근법입니다.

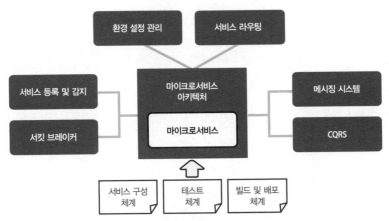

그림 4.23 **마이크로서비스 아키텍처 구성 및 체계**

마이크로서비스와 마이크로서비스 아키텍처를 구성하기 위해서는 '환경 설정 관리', '서비스 라우팅', '서비스 등록 감지', '서킷 브레이커', '메시징 시스템', 'CQRS'와 같은 몇 가지의 기능과 이를 잘 구성하고 운영하기 위한 '서비스 구성 체계', '테스트 체계', '빌드 및 배포 체계' 등이 필요합니다.

마이크로서비스 아키텍처의 성공적인 구축 사례로는 넷플릭스(Netflix)가 대표적인 회사입니다. 1997년 미국에서 설립된 넷플릭스는 주문형 인터넷 엔터테인먼트 서비스를 제공하는 세계적인 기업입니다. 넷플릭스는 서비스 요청에 대응하기 위한 클라우드 인프라 환경 위에서 마이크로서비스 아키텍처로 원활하게 서비스를 운영하고 있으며, 마이크로서비스 아키텍처 환경을 운영하는 대표적인 기업입니다. 또한, 그들이 사용하는 아키텍처와 이를 구현한 소스를 넷플릭스 오픈소스(Netflix OSS)로 공개하였고, 국내외 많은 기업이 이를 활용하여 아키텍처를 구성하고 있습니다.

넷플릭스에서 공개한 오픈소스를 이용하여 환경 설정 관리, 서비스 등록 및 감지, 서비스 라우팅, 서비스 모니터링 등 스프링클라우드(Spring Cloud) 기반의 마이크로서비스 아키텍처 구성 설계와 안정적인 운영을 위한 체계에 대해서 알아보도록 하겠습니다.

마이크로서비스 아키텍처 구성

마이크로서비스는 마이크로서비스를 지원하는 여러 서비스와 함께 구성되어야 합니다. 서비스의 수가 많아지면서 이들 서비스의 관리와 모니터링은 시스템의 안정적인 운영을 위해 사용되는 에코시스템들의 기능을 더욱 중요하게 만들었습니다. 대표적인 에코시스템으로는 서비스 환경 설정, 서비스 등록 및 감지, 서비스 게이트웨이, 서비스 모니터링 시스템, 큐잉 시스템 등이 있습니다.

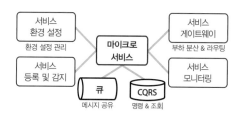

그림 4.24 **마이크로서비스 & 에코시스템**

환경 설정과 서비스 등록 및 감지 서비스는 마이크로서비스의 정보들을 동적으로 관리할 수 있게 지원합니다. 서비스 게이트웨이는 클라이언트의 요청을 해석하여 가용성을 유지할 수 있게 부하 분산과 적절한 서비스로 연결해 주는 라우팅 기능을 지원합니다. 또한, 마이크로서비스로의 요청 상태와 서킷 브레이커 기능을 실시간으로 모니터링할 수 있게 지원합니다.

환경 설정

외부 환경 설정 관리(externalizing configuration)는 시스템에서 참조해야 하는 환경 설정 정보(환경 변수) 등을 별도의 저장소에서 관리하여 애플리케이션이 배포된 환경에 구애 받지 않고 해당 환경에 적절한 환경 정보들을 참조할 수 있는 기능을 제공하는 서비스입니다. 환경 설정 정보는 IP, Port, 서비스명, 변수 등이 될 수 있습니다. 환경 정보의 변경이 발생할 경우 이를 런타임 중에 변경 적용을 할 수 있어야만 합니다. 애플리케이션이 환경 정보의 변경으로 재기동되는 상황이 없어야 합니다.

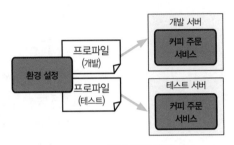

그림 4.25 **환경 설정 관리**

일반적으로 개발 서버, 테스트 서버에서 사용하는 시스템 관련 설정 정보는 서로 다를 수 있습니다. 이러한 환경 설정 정보를 각각 별도의 프로파일로 작성하여 시스템 기동 시점에 동적으로 인지하여 서버 환경에 맞는 정보를 참조하여 반영됩니다. 소스 배포나 시스템 재기동 시에 개발자나 관리자가 매번 서버에 접속해서 환경 설정 정보를 바꾸어 적용하는 작업과 같은 불필요한 작업이 없어질 것입니다.

서비스 등록과 감지

마이크로서비스가 시스템 등록되는 것을 자동으로 감지하여 서비스 게이트웨이(service gateway)가 자동으로 인지할 수 있게 지원하는 기능입니다.

'커피 전문점 서비스' 사례에서는 '커피 주문', '회원 확인', '주문 처리 상태 확인' 서비스가 기동될 때 자동으로 서비스를 감지할 수 있도록 설계합니다.

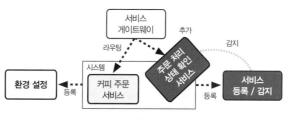

그림 4.26 **서비스 등록 및 감지**

그림 4.26에서 '주문 처리 상태 확인 서비스'가 추가되면 서비스 등록/감지 에코시스템이 이를 감지하고, 서비스 게이트웨이에서는 서비스 라우팅 대상에 추가합니다.

서비스 게이트웨이

서비스 게이트웨이는 마이크로서비스에 대한 요청을 받아서 해당 요청에 필요한 서비스로 연결해 주는 역할을 합니다. 마이크로서비스 아키텍처에서는 독립된 서비스가 각자 서버에서 구동될 것입니다. 클라이언트 입장에서는 실행 중인 서비스를 호출하여 무엇인가 작업을 하려면 원하는 서비스를 호출하기 위한 접속 채널이 있어야 하고, 채널 역할을 하는 것이 서비스 게이트웨이입니다. 클라이언트의 요청이 한 서비스로 너무 집중되어 있을 경우에는 부하를 적절히 분산시키는 역할도 같이 수행합니다. 클라이언트 관점에서 서비스 게이트웨이는 서버에 접속하기 위한 관문이고, 서버 측면에서는 클라이언트 요청의 부하 분산과 대응하는 적절한 마이크로서비스를 찾아 주는 역할을 수행합니다.

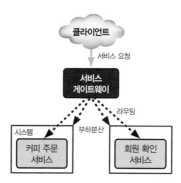

그림 4.27 **서비스 게이트웨이**

서비스 게이트웨이는 클라이언트의 서비스 요청에 대해서 각 시스템으로 부하를 분산하고 요청을 처리하여 마이크로서비스로 라우팅을 해주는 기능을 수행합니다. 이를 테면, '커피 주문' 서비스에서 '회원 확인' 서비스를 호출할 경우 URI(Uniform Resource Identifier)를 찾아가는 역할을 수행하고, 만약 '커피 주문' 서비스에 부하가 집중된다면 다른 시스템에서 추가적으로 배포하여 부하가 집중되는 것을 회피할 수 있습니다.

마이크로서비스가 기동될 때 서비스 등록 및 감지 서비스에게 해당 마이크로서비스가 새롭게 등록되어 시작된다는 상태를 전달합니다. 마이크로서비스가 등록되면 서비스 게이트웨이는 서비스 등록 및 감지 서비스가 관리하는 목록을 인지하여 새로이 추가된 마이크로서비스로 라우팅 서비스를 수행합니다. 마이크로서비스가 더 필요가 없어 삭제할 때도 같은 동작 원리로 동작합니다.

서킷 브레이크

서킷 브레이크 기능은 특정 서비스가 정상적으로 동작하지 않을 경우 다른 기능으로 대체 수행시켜서 장애를 회피하는 기능입니다. 실제로는 해당 서비스에 문제가 있어 정상적으로 제 기능을 수행할 수 없지만, 최종 사용자 측면에서는 장애 상황을 인지할 수 없습니다. 대체 기능으로 정상인 것처럼 응답하기 때문입니다.

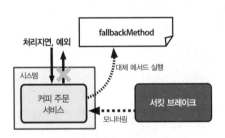

그림 4.28 **서킷 브레이크**

예를 들면, '커피 주문' 기능에 문제가 발생하면 대체 기능으로 만들어 둔 'fallback Method'를 실행하여 해당 기능을 대체합니다. 'fallbackMethod'는 업무에서 정한 임의의 로직이나 적절한 기능이 만들어져 있으면 됩니다. '커피 주문' 사례가 'fallback Method' 설명을 위해 아주 적절한 예는 아니지만, 기능적인 측면에서 이해하면 됩니다.

결국 사용자가 시스템적인 장애를 인지하지 않아도 될 무관한 업무 형태나 정보 제공 형태의 서비스에 제공하면 아주 유용한 기능입니다.

큐잉 시스템

마이크로서비스 간 데이터의 전달이 필요하고 느슨한 결합을 위해서 큐잉 시스템 (queueing system)을 사용합니다. 카프카(Kafka) 같은 메시지 큐가 대표적인 시스템이라 할 수 있습니다. 스트림 메시지(stream message)를 처리하고 발행 및 구독(publish & subscribe) 메커니즘을 지원합니다.

그림 4.29 **큐잉 시스템**

업무 메시지 전달은 물론 로그 데이터도 메시지 시스템에 흘려보내 처리할 수 있습니다. 서비스에 직접적인 부하를 주지 않고 필요한 서비스들만 구독해서 사용하면 되는 장점이 있습니다.

'커피 전문점 서비스'에서는 커피 주문 상태 데이터를 '커피 주문' 서비스에서 발행하여 '주문 처리 상태 확인' 서비스에서 구독하는 방식으로 처리하게 설계하면 두 서비스 간의 강한 결합은 없을 것입니다. 두 개의 마이크로서비스가 비동기적으로 메시지를 송수신하여 각자의 서비스를 처리해도 무리가 없는 서비스이기 때문입니다.

CQRS와 이벤트 소싱

CQRS(Command and Query Responsibility Segregation)는 명령을 처리하는 책임과 조회를 처리하는 책임을 분리 구현한다는 개념입니다. 읽기를 위한 데이터 저장소와 쓰기를 위한 데이터 저장소를 분리 구성하여 쓰기 작업이 읽기 작업에 영향을 받지 않고 독립적으로 상호 수행할 수 있게 설계하는 사상입니다. 읽기와 쓰기가 동시에 발생했을 때와 데이터 변경에 따른 성능적 이슈와 상호 영향도를 완전히 분리한다는 사상입니다.

이벤트 소싱(event sourcing)은 애플리케이션이 실행될 때 발생되는 모든 이벤트 스트림(event stream)을 별도의 데이터베이스에 저장하는 방식입니다. 이벤트 스트림이 저장되는 데이터베이스를 '이벤트 스토어(event store)'라고 합니다. 저장되는 모든 이벤트 스트림 데이터는 '이벤트 스토어'에 추가만 되고, 이렇게 쌓인 데이터는 사용되는 시점에 이미 구축된 데이터를 기준으로 가공하여 사용합니다. 즉, 애플리케이션의 상태 변경을 이력으로 관리하는 패턴의 발전된 형태라 할 수 있습니다. CQRS와 이벤트 소싱에서 제시하는 사상은 읽기와 쓰기 데이터 저장소를 분리 구성하여 성능적 문제를 해결한다는 측면에서 아주 적절한 기술 메커니즘입니다.

폴리그랏 프로그래밍과 폴리그랏 퍼시스턴스

폴리그랏 프로그래밍(polyglot programming)은 서비스별로 목적과 특성에 맞는 언어와 기술을 사용하는 프로그래밍 방식입니다. 비즈니스를 만족시키기 위해서 많은 서비스가 유기적으로 연동되며 수행됩니다. 서비스는 각 단위 업무의 특성을 반영하는 결과물이고, 서비스의 목적과 특성에 따라서 이를 구현하기 위한 언어와 기술도 다양하게 선택될 것입니다.

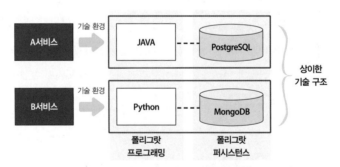

그림 4.30 **폴리그랏 프로그래밍과 폴리그랏 퍼시스턴스**

이를테면, '커피 주문' 서비스는 자바로 구현하고, '주문 처리 상태 확인' 서비스는 파이썬으로 구현한다는 것입니다. 어느 하나의 특정 언어나 기술로서 모든 서비스를 개발하지 않습니다. 물론, 서비스 간의 연동을 위한 인터페이스는 표준 REST API로 통신합니다.

서비스를 관리하는 조직의 기술 역량과 서비스별 특성이 다름을 인정하고 최적화할 수 있는 기술로 만들어진 서비스를 효과적으로 사용할 수 있으면 됩니다. 각 서비스를 구성하는 기술들이 다양할 수 있고, 이를 구현하는 언어 또한 다양할 수 있습니다. 간략하게 정리하면 서로 다른 언어로 만들어진 서비스들을 연동하여 프로그램을 만드는 방식을 폴리그랏 프로그래밍이라고 합니다.

폴리그랏 퍼시스턴스(polyglot persistance)는 데이터의 성격과 목적에 맞는 데이터베이스를 사용하는 여러 유형의 데이터베이스를 혼용하여 사용하는 방식입니다. 마이크로한 서비스들이 각자 서비스의 특성을 고려한 데이터 저장소의 형태를 가지는 특성입니다. 마이크로서비스는 서비스별로 용도와 목적이 다를 수 있고, 각 서비스에 특화된 기술 구조를 가집니다. 회원 관리와 같은 정형화된 데이터를 관리하기 위해 관계형 데이터베이스를 사용하고 문서 형태의 콘텐츠를 주로 다룬다면 이에 적합한 도큐먼트(document)형 데이터베이스를 사용하고, 비정형 데이터 형식의 콘텐츠를 다루고 키밸류(key-value) 형태의 검색 조회가 필요하다면 키밸류형 데이터베이스를 사용하는 것입니다. 각 서비스의 특성을 최대한 보장하고, 이에 맞는 기술 형태로 구성을 그대로 가져간다는 것입니다.

서비스 구성 체계

마이크로서비스들은 각각 독립성을 가지고 동작하므로 각각 독립된 버전을 가집니다. 서비스를 체계적으로 관리하기 위해서는 마이크로서비스 API를 정의하고 생성하는 서비스 생성자와 서비스를 사용하는 서비스 소비자 간에 잘 정의된 마이크로서비스 API 체계가 필요합니다.

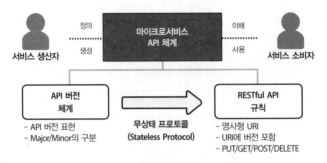

그림 4.31 **마이크로서비스 API 체계**

API 버전 체계는 API 버전을 표현하는 방법과 메이저(major), 마이너(minor) 버전을 구분하는 기준을 정해서 적용해야 합니다. REST API의 URI는 명사형으로 정의되는 것이 일반적이고 URI에 버전이 포함되며, API의 행위에 대한 명세는 PUT/GET/POST/DELETE로 구분합니다. API는 기본적으로 무상태 프로토콜을 지향합니다.

API 버전

API 버전은 '메이저'와 '마이너' 버전으로 구분하여 관리할 수 있습니다. 메이저 버전은 동작 방식이나 전달되는 매개변수(parameter)의 변경이 발생하여 기존의 인터페이스에 대해서 대응 변경이 필요할 경우 메이저 변경을 해야 합니다. 이와 다르게 마이너 버전은 프로그램 인터페이스에 별다른 대응 조치를 하지 않아도 기존의 인터페이스를 유지하여 사용할 수 있는 변경을 의미합니다. 정의된 API에 인터페이스 항목이 변경되는 경우 API가 변경된다는 것을 의미합니다. 예를 들어 보겠습니다.

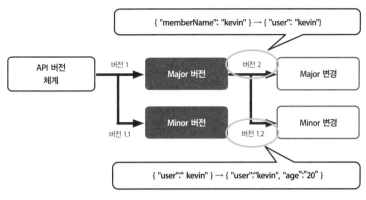

그림 4.32 **API 버전 체계**

API가 변경된다는 것은 주소에서 제공하는 메시지 내용들이 변경되는 것을 의미합니다. 변경의 정도에 따라 이를 참조하는 서비스들이 영향을 받을 수도 있고, 그렇지 않을 수도 있습니다. JSON 포맷으로 통신하는 서비스 API의 메시지 정보가 "{memberName:kevin}"에서 "{user:kevin}"처럼 메시지의 키 값이 변경되었다면 이를 참조하는 서버들은 더 이상 유효하지 않은 키 값을 참조하여 오류가 발생할 것입니다.

반면에 "{user:kevin, age:20}"처럼 키 값과 데이터가 추가된다면 이를 참조하는 다른 서비스들은 영향을 받지 않을 것입니다. 전자의 경우 메이저, 후자의 경우 마이너 버전으로 나뉘어 관리할 수 있습니다.

마이크로서비스 아키텍처에서 API 버전 관리는 아주 중요한 부분입니다. 서비스는 어떠한 이유에서든 지속적으로 개선 변경되고, 인터페이스도 변경도 자주 일어납니다. 특정 API는 다수의 다른 서비스들이 참조하고 있어 변경에 따른 영향이 크고 영향의 범위가 넓습니다. API 변경에 따른 장애를 사전에 방지하기 위해서는 API 체계가 일관성있고, 명확한 기준으로 관리되어야 합니다. 기존의 API 버전 'v1'에서 메이저 변경과 마이너 변경이 일어났을 때 버전의 표현 방법은 그림 4.33과 같습니다. 메이저 변경은 'v1'에서 'v2'로 변경되었고, 마이너 변경은 'v1'을 그대로 유지합니다.

메이저 버전 변경이 있어도 기존의 'v1' 버전과 'v2' 버전을 동시에 운영하기도 합니다. 이를 참조하는 다른 서비스들에 한시적으로 운영함을 공지하고 병행 운영하다가 'v1'을 내립니다.

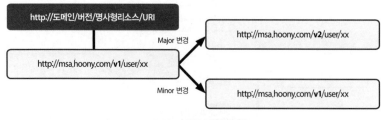

그림 4.33 **API 버전 표현**

REST API

REST(Representational State Transfer) API는 WWW(World Wide Web)의 자원에 주소를 지정하고, 지정된 주소의 자원을 프로그래밍적으로 제어할 수 있게 만든 인터페이스입니다. REST API를 이용하여 클라이언트와 서버 간의 메시지 교환을 통하여 서로 통신합니다. 통신 간의 규약을 '프로토콜(protocol)'이라 하고, 웹상에서는 HTTP 프로토콜을 사용합니다. 하나의 서비스가 수행되기 위해서는 클라이언트와 서버 간에 많은 메시지 교환이 발생합니다. 인증, 권한부터 시작하여 다양한 메시지들을 요청하고 수신합니다. 그래서 메시지를 교환하기 위한 프로토콜은 짧고 단순할수록 네트워크의 부하 측면에서는 훨씬 나을 것입니다. 더구나 이들 규약이 서로 제각각이라면 관리하기도 힘듭니다. 서비스들은 서로 주소를 가지고 있고, 주소를 통해서 서로 메시지를 주고 받습니다. 서비스 간 주소와 메시지를 주고받기 위한 명세가 API이고 REST하게 정의한 것입니다.

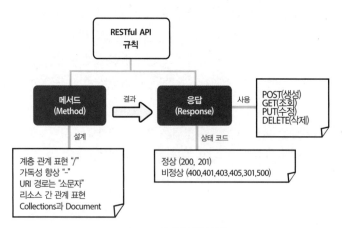

그림 4.34 **REST API 규칙**

마이크로서비스별로 자신을 식별할 수 있는 이름표가 있어야 하고, 외부로 노출되어 있어야 다른 서비스가 호출하기 쉬울 것입니다. 모든 서비스에 이름표가 부여되고, 더 작게는 서비스에 포함된 기능 수준까지 이름을 붙일 수 있습니다. 서비스 혹은 기능을 찾아갈 수 있는 외부에 노출된 자원의 식별자입니다. 즉, 서비스 기능 수준까지 REST URI를 부여하고, 외부에 노출시켜 마이크로서비스를 호출하고 사용할 수 있는 이름 규칙입니다.

무상태 프로토콜

마이크로서비스 간 통신 프로토콜은 기본적으로 REST API를 사용하여 상호 호출하여 사용합니다. 이는 'HTTP' 프로토콜의 기본 특성인 무상태 프로토콜(stateless protocol)을 지향합니다.

클라이언트와 서버 간 통신 시에 클라이언트의 요청에 대해서 서버가 응답을 보내고 나면 접속을 끊고, 서버는 클라이언트의 상태 정보를 저장하지 않는 통신 방식입니다. 구조적으로 단순하고 명확하여 설계와 개발이 쉬운 장점이 있습니다.

반면에 클라이언트 상태 정보를 이용한 개발 및 시스템 구축 시에는 이들 정보를 관리하는 메커니즘이 필요합니다. 대표적인 무상태 프로토콜은 'HTTP'이며, 클라이언트 상태 정보를 활용하기 위한 메커니즘으로 '쿠키(cookie)'나 '세션(session)'을 활용합니다. 쿠키는 '키값' 형태로 만료 날짜, 경로 정보 등이 들어 있는 작은 파일로 클라이언트에 저장되고, 일정 시간 동안 저장할 수 있어 웹 페이지에서 사용자의 로그인 상태 관리에 활용됩니다. 세션은 쿠키와 다르게 서버의 메모리상에 유일한 '세션 ID' 값 형태로 저장됩니다.

테스트 체계

마이크로서비스 아키텍처에서 테스트 체계는 중요한 요소입니다. 서비스들이 많아지고 서비스들의 명세와 각 서비스의 관계들의 정상 동작 유무를 확인하는 활동이기 때문입니다. 테스트 체계는 시스템적으로 자동화되고 모니터링되어야 합니다. 서비스를 만들어 내는 주체와 서비스를 이용하는 소비자는 약속된 명세를 기준으로 서로 인터페이스되어야 하고, 생산자 입장에서는 개발한 서비스가 잘 동작하는지 서비스 API를 테스트하고, 소비자는 사용할 서비스 혹은 사용 중인 서비스가 잘 동작하는지 확인해야 합니다.

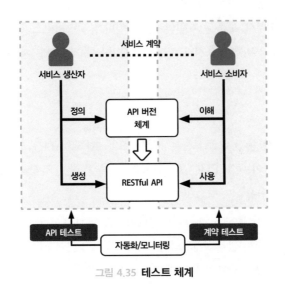

그림 4.35 **테스트 체계**

서비스 계약

서비스 계약은 서비스 생산자와 서비스 소비자 간의 거래를 뜻합니다. 서비스를 만드는 주체를 서비스 생산자, 서비스를 소비하는 주체를 서비스 소비자라고 합니다. 서비스 생산자가 서비스를 만들고, 서비스에 REST URI를 부여합니다. 서비스 소비자는 해당 주소를 호출하여 사용합니다. 계약이란, 생산자가 만든 서비스를 소비자가 별다른 문제 없이 잘 활용할 수 있도록 보장하는 메커니즘의 시스템적 명세를 뜻합니다.

API 테스트

서비스 생산자가 만든 서비스가 정상적으로 동작하는지 API 명세서를 토대로 수행하는 테스트를 말합니다.

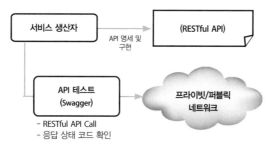

그림 4.36 **API 테스트**

API 명세서에 기술된 입력값을 채워서 REST API 방식으로 서비스가 등록된 서버로 요청하여 응답 상태 코드를 확인합니다

콘트렉트 테스트

생산자와 소비자가 계약 내용이 정상적인지를 판단하기 위한 행위가 콘트렉트 테스트 (contract test)입니다. 즉, 생산자가 만든 마이크로서비스의 API가 정해진 메시지 포맷으로 응답하는지, URI는 변경이 되지 않았는지 확인하는 테스트입니다. 그런데 마이크로서비스는 다수의 서비스가 서로 얽혀 호출하는 구조입니다. 생산자 입장에서는 어떤 소비자가 사용하는지 알기가 어렵습니다. 예를 들어 서로 주고받기로 한 키값을 변경하여 배포한다면 소비자 입장에서는 문제가 됩니다. 이런 문제를 미리 방지하려면 생산자의 서비스가 빌드될 때 변경에 따른 영향을 확인할 수 있는 장치가 필요합니다. 스프링 클라우드 오픈소스를 이용하여 콘트렉트 테스트를 구현할 수 있습니다.

대략적인 동작 원리를 설명하면 다음과 같습니다. 서비스를 사용하는 서비스 소비자가 서비스 계약에 필요한 명세서를 서비스 제공자의 코드에 작성합니다. 해당 서비스가 빌드되는 시점에 작성된 명세서를 해석하여 테스트 코드가 자동 생성됩니다. 이 코드는 단위 테스트 때 사용되고, 'jar' 형태의 스텁(stub) 파일로 메이븐이나 넥서스(Nexus)와 같은 라이브러리 저장소에 업로드됩니다. 소비자는 스텁 파일을 가져와 명세에 대한 테스트를 수행합니다. 다소 생소한 개념이지만 REST API를 인터페이스로 통신하는 마이크로서비스 아키텍처에서는 아주 중요한 요소입니다.

서비스 소비자, 즉 사용자는 DSL(Domain Specific Languages)이나 YAML(YAML Aren't Markup Language) 파일 형식으로 계약 명세서를 작성하여 서비스 생산자에게 등록합니다. 서비스 생산자는 명세서를 검증하여 'jar' 파일을 저장소에 등록하고, 등록된 'jar' 파일을 이용하여 계약 테스트를 수행합니다.

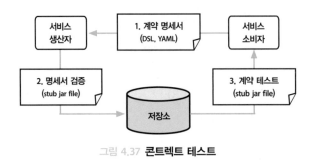

그림 4.37 **콘트렉트 테스트**

지속적 통합 및 배포체계 설계

마이크로서비스는 독립적으로 빌드 및 배포를 할 수 있어야 합니다. 개발자가 소스 코드를 소스 저장소(git)에 푸시(push)하면 빌드 서버(build server)에 설치된 빌드 도구는 정해진 스케줄러(scheduler)에 따라 소스 코드를 빌드합니다. 소스 코드가 빌드되면서 정적 코드 분석이 동시에 수행되어 코드에 대한 품질 검사가 이루어집니다. 검증된 소스 코드는 실행 서버에서 즉시 실행 가능한 형태로 변환되어 실행 서버에 배포되어 실행됩니다. 실행 서버의 실행 플랫폼 유형에 따라 'jar', 'war' 형태의 실행 가능한 압축 파일 혹은 도커 이미지(docker image)를 실행한 도커 컨테이너(docker container) 형태로 실행됩니다.

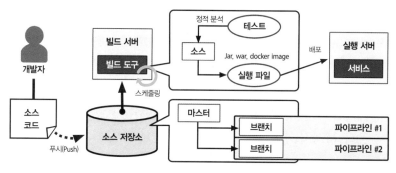

그림 4.38 **지속적 통합 및 배포 체계**

지속적 통합 및 배포(continuous integration & delivery)

푸시된 소스 코드는 빌드 도구에 스케줄링된 시간에 맞춰서 지속해서 빌드가 수행됩니다. 빌드가 수행될 때 해킹이나 오류를 유발할 수 있는 소스 코드를 사전에 감지하는 정적 코드 분석을 수행합니다. 빌드가 완료되면 실행 서버에 즉시 실행 가능한 실행 파일이 만들어지고, 실행 서버로 자동 혹은 수동 배포됩니다. 실행 파일의 형태는 실행 서버의 구동 형태에 따라 서로 다릅니다. 만일 서비스가 도커 기반으로 동작한다면 실행 파일은 도커로 실행이 가능한 도커 이미지가 되고, 웹 애플리케이션 서버이면 '.jar'나 '.war' 형태의 파일이 될 것입니다.

파이프라인

마이크로서비스별 독립적인 빌드 배포 파이프라인(pipeline)을 가져야 합니다. 소스 코드 저장소에서 별도의 브랜치(branch) 형태로 관리하기를 권합니다. 최초 하나의 베이스라인에서 시작하여 각각의 브랜치 형태로 관리하거나 처음부터 각각의 마이크로서비스를 마스터(master)로 잡고 버전별 브랜치를 관리할 수도 있습니다. 서비스와 시스템의 운영 전략에 따라 다양한 형태의 브랜치 전략을 가집니다. 하지만 공통적인 것은 파이프라인 전략과 자동화되고 시각화할 수 있는 체계가 필요하다는 것입니다.

모니터링 체계 설계

마이크로서비스는 각 실행 서버에서 독립된 서비스 형태로 실행됩니다. 과거 모놀리스 애플리케이션의 형태와는 다르게 실행되는 서버의 대수가 늘어나면서 서버를 경유하는 서비스 요청의 병목 지점과 각 서버 구간별 성능상에 문제는 없는지 등 관리할 요소가 많습니다. 서비스 측면에서 각 마이크로서비스로 요청되는 요청 비율과 서킷 브레이크 상태 등을 모니터링할 수 있습니다.

서비스 모니터링(service monitoring)

마이크로서비스 아키텍처에서는 각 개별 서비스들의 상태 정보가 모니터링되어야 합니다. 각 개별 서비스로 향하는 클라이언트의 요청을 실시간으로 모니터링하여 시각화하고 개별 서비스의 응답 지연이 발생할 때에는 즉시 해당 접근 경로를 차단시키고, 다른 경로로 우회하도록 만드는 서킷 브레이크 기능과 상태 정보 등을 확인할 수 있어야 합니다. 각 개별 서비스와 관련된 상태 정보의 활용은 부하 발생 시 서비스의 수평적 확장이나 장애 시점의 자가치유와 같이 서비스의 가용성 유지를 위한 능동적이고 지능화된 시스템 구축에 기여합니다.

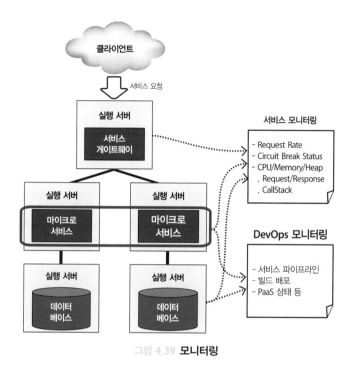

그림 4.39 **모니터링**

데브옵스 모니터링

데브옵스(DevOps)는 개발과 운영의 프로세스적인 흐름이 자연스럽게 이어지는 일련의 프로세스 체계라는 의미도 내포하고 있습니다. 서비스의 기획에서 분석, 개발, 빌드, 배포, 테스트, 운영 배포까지 일련의 프로세스를 파이프라인을 형성하여 시스템적으로 자동화하고, 이 모든 과정이 측정되고 시각화되는 체계입니다. 마이크로서비스 환경에서는 서비스의 개발과 배포 주기가 짧아지고 모니터링해야 할 대상도 많아지므로 이러한 체계는 개발뿐만 아니라 운영 측면에서 분명 많은 도움이 됩니다.

마이크로서비스 구현

5.1 마이크로서비스 구성

이 단계에서는 앞서 식별한 마이크로서비스와 아키텍처를 구현하기 위한 개발 환경을 구성합니다. 개발 환경은 개발자가 개발하기 위한 로컬 PC 환경과 개발 서버에서 개발된 서비스가 실행되는 환경까지를 의미합니다.

개발 환경 구성

설치 소프트웨어

'커피 전문점 서비스' 개발을 위한 로컬 PC 기반 프로젝트 개발 환경입니다. 로컬 PC 환경에 설치되는 개발 툴과 소프트웨어 목록은 그림 5.1과 같습니다.

---

* '구현 사례 설명을 위해서 소스 코드는 '깃허브(Github)'를 통해 공유하고 아키텍처 구현과 구축 측면에서 설명합니다. 예제에서 사용한 'JDK', '이클립스', '깃(Git)', '그래들(Gradle)', '젠킨스(Jenkins)' 등의 소프트웨어 설치에 관한 내용은 다루지 않을 것입니다.

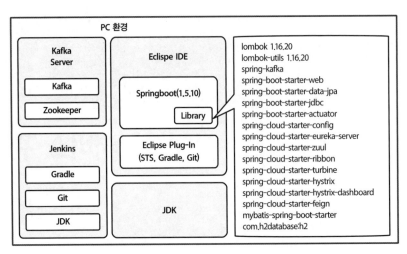

그림 5.1 **커피 전문점 서비스 개발 소프트웨어**

로컬 PC에서 '커피 전문점 서비스' 프로젝트의 실행과 테스트를 위해 카프카 서버(Kafka Server), 이클립스(Eclipse) 등의 개발 관련 소프트웨어를 설치합니다. 로컬 PC에 설치되는 소프트웨어 목록과 설명은 표 5.1과 같습니다.

표 5.1 **설치 소프트웨어**

설치 소프트웨어	버전	설명
카프카 서버(Kafka Server)	2.12-1-1.0	메시지 발행 및 구독을 위한 시스템
JDK	1.8	자비 개발 도구 키트(tool kit)
이클립스(Eclipse)	Oxygen	자바 프로그램 개발을 위한 통합 개발 도구
이클립스 플러그인 (Eclipse Plug-In)	STS	스프링 소스 도구 모음
그래들(Gradle)	4.8	라이브러리 의존성 관리 도구
스프링부트(Springboot)	1.5.10	스프링 프레임워크 스타터 키트(starter kit)
라이브러리(Library)	오픈소스	자바 기반의 오픈소스 라이브러리, 스프링클라우드, 넷플릭스 라이브러리(Netflix OSS) 등
젠킨스(Jenkins)		소스 코드 빌드 및 패키징
도커(Docker)		도커 파일, 이미지, 컨테이너 생성, AWS EC2 환경에 설치

서비스 프로그램 개발 시 데이터 처리, 메시지 연계, 마이크로서비스들의 가용성 관리 등과 관련된 자바 기반 라이브러리를 다운로드하여 개발 프로그램에 포함하여 개발합니다.

라이브러리

개발을 위해 다양한 오픈소스 라이브러리(library)를 사용합니다. '커피 전문점 서비스' 예제를 구현하기 위해 사용한 라이브러리들의 목록과 설명은 표 5.2와 같습니다.

표 5.2 **라이브러리**   *버전 상세 정보는 git source 내 build.gradle 참고.

구분	라이브러리	설명
Lombok	lombok 1.16.20	자바클래스 멤버(member) 변수에 대한 'setter', 'getter' 함수를 자동으로 생성해 주는 라이브러리
	lombok-utils 1.16.20	*eclipse 연결 방법은 아래의 사이트 참고 https://projectlombok.org/setup/eclipse
Kafka	spring-kafka 1.3.2	카프카(Kafka) 라이브러리
Springboot	spring-boot-starter-web	스프링부트 기반 웹 스타터(web starter)
	spring-boot-starter-data-jpa	JPA 라이브러리
	spring-boot-starter-jdbc	JDBC 라이브러리
	spring-boot-starter-actuator	스프링부트 상태 관리 라이브러리
Spring Cloud	spring-cloud-starter-config	환경 설정(config) 관리를 위한 라이브러리
	spring-cloud-starter-eureka	유레카(Eureka) 라이브러리(서비스 등록 감지)
	spring-cloud-starter-zuul	줄(Zuul) 라이브러리(서비스 라우팅)
	spring-cloud-starter-ribbon	리본(Ribbon) 라이브러리(서비스 로드 밸런서)
	spring-cloud-starter-turbine	터빈(Turbine) 라이브러리(스트림 메시지 수집)
	spring-cloud-starter-hystrix	히스트릭스 라이브러리(서킷 브레이커)
	spring-cloud-starter-hystrix-dashboard	히스트릭스 대시보드 라이브러리
	spring-cloud-starter-feign	마이크로서비스 간 서비스 호출
Mybatis	org.mybatis.spring.boot: mybatis-spring-boot-starter	자바 퍼시스턴스(Persistance) 프레임워크
H2	com.h2database:h2	자바 기반 오픈소스 관계형 데이터베이스

해당 라이브러리들은 이클립스(Eclipse)에서 그래들(Gradle) 라이브러리 의존성 관리 도구를 이용하여 쉽게 설정하고 다운로드할 수 있습니다.

커피 전문점 마이크로서비스 구성도 및 구성 요소

커피 전문점 마이크로서비스 구성도

'커피 전문점' 마이크로서비스의 구성은 그림 5.2와 같이 세 개의 마이크로서비스와 하나의 큐잉 시스템으로 구성되어 있습니다.

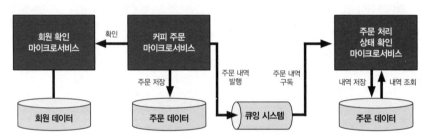

그림 5.2 **커피 전문점 마이크로서비스 구성도**

마이크로서비스별로 독립된 데이터를 가지는 구조이고, '커피 주문' 마이크로서비스는 큐잉 시스템을 이용해 메시지를 발행하고, '주문 처리 상태 확인' 마이크로서비스는 큐잉 시스템을 이용하여 메시지를 구독하는 구성입니다.

커피 전문점 마이크로서비스 구성 요소

'커피 전문점' 마이크로서비스 구성 요소를 요약하면 표 5.3과 같습니다.

표 5.3 **커피 전문점 마이크로서비스 구성 요소**

마이크로서비스	설명	프로젝트명
커피 주문	커피 주문 처리 서비스	msa-service-coffee-order
회원 확인	회원 가입 여부 확인 서비스	msa-service-coffee-member
주문 처리 상태 확인	주문 처리 상태 확인 서비스	msa-service-coffee-status

자바 프로젝트 구성

마이크로서비스 단위로 프로젝트를 만들기를 권장합니다. 표 5.4의 프로젝트 구성은 복수 프로젝트 환경에 대한 설명을 겸하기 위해 복수 개의 마이크로서비스를 하나의 프로젝트 하위에 멀티 프로젝트로 구성하였습니다.

표 5.4 **커피 전문점 마이크로서비스 자바 프로젝트 구성 요소**

자바 프로젝트명	주요 패키지	역할
msa-book		마이크로서비스 루트 프로젝트
msa-service-coffee-order	domain/model	엔티티와 밸류 오브젝트
	domain/repository	데이터 처리
	domain/service	업무 로직
	springboot/configuration	환경 설정
	springboot/messageq	큐잉 시스템 연계
	springboot/repository	데이터베이스 연계
	springboot/rest	REST API
	springboot/service	서비스
msa-service-coffee-member	springboot/configuration	환경 설정
	springboot/repository	데이터베이스 연계
	springboot/rest	REST API
msa-service-coffee-status	springboot/configuration	환경 설정
	springboot/messageq	큐잉 시스템 연계
	springboot/repository	데이터베이스 연계
	springboot/rest	REST API

마이크로서비스별로 독립된 프로젝트를 하나씩 구성합니다.

전체 마이크로서비스는 루트 프로젝트인 'msa-book' 프로젝트를 이용하여 생성하고 빌드 도구는 그래들을 사용합니다.

루트 프로젝트

마이크로서비스 프로젝트를 생성하고 사용할 라이브러리를 지정해 주는 프로젝트입니다.

자식 프로젝트의 이름을 명시적으로 선언하여 생성될 자식 프로젝트를 구체적으로 지정할 수 있습니다. 그리고 자식 프로젝트에서 사용하는 라이브러리를 지정하는 등의 기본적인 환경 설정을 할 수 있습니다. 그래들 빌드 환경에서는 설정 파일을 통해 앞서 설명한 설정을 할 수 있고, 루트 프로젝트의 그래들 빌드 환경 설정 파일인 'settings.gradle'와 'build.gradle'입니다. settings.gradle 파일은 자식 프로젝트를 지정하기 위한 파일이고, build.gradle 파일은 라이브러리 의존성과 클래스 패스 등의 설정을 위한 파일입니다.

그림 5.3 **msa-book settings.gradle**

'settings.gradle'에서 자식 프로젝트 목록을 구성합니다. 'include' 뒤에 자식 프로젝트 이름을 지정하고, 그래들 빌드를 수행하면 자식 프로젝트들이 생깁니다. 생성되는 자식 프로젝트에서 사용할 라이브러리도 루트 프로젝트에서 설정으로 지정할 수 있습니다.

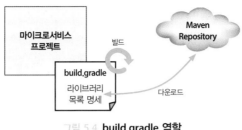

그림 5.4 **build.gradle 역할**

그래들은 애플리케이션 동작에 필요한 라이브러리들을 중앙의 저장소에서 받아서 빌드까지 할 수 있는 기능을 제공하는 라이브러리 의존성 관리 도구입니다.

```
🐘 build.gradle ✕
 1 apply plugin: 'java-library'
 2
 3 repositories {
 4     jcenter()
 5 }
 6
 7 dependencies {
 8     api 'org.apache.commons:commons-math3:3.6.1'
 9     implementation 'com.google.guava:guava:23.0'
10     testImplementation 'junit:junit:4.12'
11 }
12
13 buildscript {
14     ext {
15         springBootVersion = '1.5.10.RELEASE'
16     }
17     repositories {
18         mavenCentral()
19     }
20     dependencies {
21         classpath("org.springframework.boot:spring-boot-gradle-plugin:${springBootVersion}")
22         classpath('io.spring.gradle:dependency-management-plugin:1.0.0.RELEASE')
23     }
24 }
25
26 subprojects {
27     group = 'com.hoony.msa'
28     version = '0.0.1-SNAPSHOT'
29
30     apply plugin: 'java'
31     apply plugin: 'eclipse'
32     apply plugin: 'org.springframework.boot'
33     apply plugin: 'io.spring.dependency-management'
34
35     sourceCompatibility = 1.8
36     repositories {
37         mavenLocal()
38         mavenCentral()
39     }
40
41     task initSourceFolders {
42         sourceSets*.java.srcDirs*.each {
43             if( !it.exists() ) it.mkdirs()
44         }
45         sourceSets*.resources.srcDirs*.each {
46             if( !it.exists() ) it.mkdirs()
47         }
48     }
49
50     dependencies {
51         compile('org.projectlombok:lombok:1.18.0')
52         compile('org.projectlombok:lombok-utils:1.18.0')
53         compile('junit:junit:4.12')
54
55         testCompile("org.springframework.boot:spring-boot-starter-test")
56     }
57 }
```

그림 5.5 **msa-book build.gradle**

루트 프로젝트의 'build.gradle'를 잠시 살펴보면 먼저, 의존성 관계의 플러그인(plug-in)들을 등록합니다.

'task initSourceFolder'를 지정하여 자식 프로젝트의 'src', 'resources' 디렉터리를 생성해 주는 설정을 추가합니다. 이 부분의 설정이 없다면 생성되는 자식 프로젝트에 'src'와 'resources' 디렉터리를 개별적으로 생성해야 하는 번거로운 작업이 필요합니다.

'dependencies'를 설정하여 'lombok'이나 'juint'와 같이 공통적으로 사용하는 라이브러리를 추가합니다. 'lombok'은 멤버 변수에 대한 setter, getter 메서드를 자동으로 생성해 주는 라이브러리이고, 로컬 리포지토리(repository)에 다운받은 후에도 'lombok<version>.jar'를 실행하여 PC에 설치된 'eclipse.exe'와 연결시켜 줘야 사용할 수 있습니다. 이외 필요하다고 판단되는 라이브러리를 추가하여 자식 프로젝트에서 공통으로 사용하는 라이브러리를 추가로 설정할 수 있습니다.

커피 주문 마이크로서비스 프로젝트

커피를 주문하고 주문한 정보를 저장하기 위한 기능을 제공하는 서비스입니다.

그림 5.6 **msa-service-coffee-order project**

루트 프로젝트의 자식 프로젝트로 등록되어 있고, 루트 프로젝트에서 지정된 라이브러리 외에 라이브러리가 추가로 필요합니다. 자바 프로그램에서 객체와 데이터를 바인딩(binding)하여 데이터베이스에 접근하기 위한 'JPA' 라이브러리입니다.

```
🐘 build.gradle 🔀
  1 dependencies {
  2     compile('org.springframework.boot:spring-boot-starter-web')
  3     compile('org.springframework.boot:spring-boot-starter-data-jpa')
  4     compile('org.springframework.kafka:spring-kafka:1.3.2.RELEASE')
  5     compile('com.h2database:h2:1.4.197')
  6
  7     compile('org.springframework.boot:spring-boot-actuator:1.5.10.RELEASE')
  8     compile('org.springframework.cloud:spring-cloud-starter-config:1.4.4.RELEASE')
  9     compile('org.springframework.cloud:spring-cloud-starter-eureka:1.4.5.RELEASE')
 10     compile('org.springframework.cloud:spring-cloud-starter-hystrix:1.4.5.RELEASE')
 11     compile('org.springframework.cloud:spring-cloud-starter-feign:1.4.5.RELEASE')
 12 }
```

그림 5.7 **msa-service-coffee-order build.gradle**

커피를 주문하고 나서 주문된 내역을 실시간으로 알려 주기 위한 이벤트 메시지 처리 관련 'kafka' 라이브러리를 추가하였습니다. 추가된 라이브러리는 해당 자식 프로젝트에서만 사용합니다.

회원 확인 마이크로서비스 프로젝트(msa-service-member)

커피 주문 시 회원 여부를 확인하는 기능을 제공하는 서비스입니다. '커피 주문' 마이크로서비스 패키지 구조를 조금 다르게 구성하였습니다. 도메인 영역과 스프링부트 영역을 구분하지 않고 스프링부트 영역만으로 구현 가능한 형태로 구성하였습니다.

데이터 바인딩 영역도 'JPA' 방식이 아닌 'MyBatis' 프레임워크를 적용하였습니다. 마이크로서비스를 개발할 때 '객체 모델링' 방식이 아닌 데이터 중심의 '데이터 모델링' 방식으로 만들어야 하는 상황이 있습니다. 여전히 많은 기업에서 '데이터 모델링' 방식으로 애플리케이션을 대부분 개발하고 있고, 이와 같은 구조로 구성되어 있을 것입니다. 'SQL 쿼리' 중심의 개발을 할 때 마이크로서비스 아키텍처를 구성하지 못하는 것은 아니지만, 마이크로서비스의 특성이 서비스 중심의 설계라는 측면에서는 그리 적절해 보이지는 않습니다.

다시 본론으로 돌아가서 '회원 확인' 마이크로서비스의 패키지 구조를 알아보겠습니다.

그림 5.8 **msa-service-coffee-member project**

패키지 구조는 크게 'configuration', 'repository', 'rest'로 구성하였습니다.

표 5.5 **회원 확인 마이크로서비스 패키지 상세 구성**

패키지	서브 패키지	설명
springboot	configuration	데이터베이스, 로깅, 메시지 등 설정
	repository - dvo(디렉터리)	mybatis 데이터 저장을 위한 Mapper 구현 - 데이터 저장을 위한 객체
	rest - rvo(디렉터리)	REST URI 설정 및 구현 - 클라이언트 요청 매개변수 매핑 객체

resources	mybatis	sql mapper 설정
	sql	sql 쿼리
	application.yml(파일)	마이크로서비스명, PORT 등 설정

'rest' 패키지 하위에 클라이언트로부터 요청 매개변수 매핑(mapping)을 위한 객체인 'rvo'와 'repository'에서 데이터 저장을 위한 매핑 객체인 'dvo'를 만들었습니다. 일반적으로 프로젝트 현장에서 많이 볼 수 있는 형태이고, 간략하게 설명하면 'repository'는 'Mapper' 객체를 이용하여 데이터 처리에 관련된 역할을 수행합니다. 'rest' 패키지는 REST API이고 메인 로직이 포함되어 있습니다. 리소스 영역에 'mybatis' 패키지에는 프로젝트에서 사용할 'sql'에 대한 위치 정보를 정의해 주었고, 'sql' 패키지에는 사용할 쿼리가 '.xml' 파일로 저장됩니다. '커피 주문 마이크로서비스'와 소스 코드 수준에서 비교해 보면 로직 처리 주체가 다름을 알 수 있습니다.

```
 build.gradle ⊠
 1 dependencies {
 2     compile('org.springframework.boot:spring-boot-starter-web')
 3     compile('org.springframework.boot:spring-boot-starter-jdbc')
 4     compile('org.springframework.kafka:spring-kafka:1.3.2.RELEASE')
 5     compile('com.h2database:h2:1.4.197')
 6     compile('org.mybatis.spring.boot:mybatis-spring-boot-starter:1.3.2')
 7
 8     compile('org.springframework.boot:spring-boot-actuator:1.5.10.RELEASE')
 9     compile('org.springframework.cloud:spring-cloud-starter-config:1.4.4.RELEASE')
10     compile('org.springframework.cloud:spring-cloud-starter-eureka:1.4.5.RELEASE')
11     compile('org.springframework.cloud:spring-cloud-starter-hystrix:1.4.5.RELEASE')
12 }
```

그림 5.9 **msa-service-coffee-member build.gradle**

회원 정보가 등록되어 있는 데이터베이스를 사용하므로 데이터베이스 접근을 위한 'mybatis' 라이브러리를 추가하였습니다.

주문 처리 상태 확인 마이크로서비스 프로젝트(msa-service-status)
커피를 주문한 내용을 실시간으로 전송받아 커피 전문점에 비치된 모니터에 보여 주기 위한 서비스입니다. '커피 주문' 마이크로서비스로부터 주문 상태 메시지를 큐를 통해 전송받아 처리하는 부분입니다. 패키지 구성은 '회원 확인' 마이크로서비스 패키지 구성과 동일하고, 하나 다른 것은 메시지 수신 기능 구현을 위해 'messageq' 패키지를 별도로 구성한 것입니다.

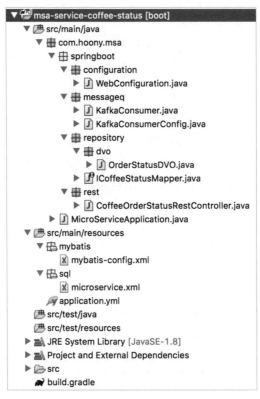

그림 5.10 **msa-service-coffee-status project**

'messageq' 패키지 내부에 'kafka'로부터 전달된 메시지를 수신하기 위한 메시지 소비자를 구현하였습니다.

```
build.gradle ✖

 1 dependencies {
 2     compile('org.springframework.boot:spring-boot-starter-web')
 3     compile('org.springframework.boot:spring-boot-starter-jdbc')
 4     compile('org.springframework.kafka:spring-kafka:1.3.2.RELEASE')
 5     compile('com.h2database:h2:1.4.197')
 6     compile('org.mybatis.spring.boot:mybatis-spring-boot-starter:1.3.2')
 7
 8     compile('org.springframework.boot:spring-boot-actuator:1.5.10.RELEASE')
 9     compile('org.springframework.cloud:spring-cloud-starter-config:1.4.4.RELEASE')
10     compile('org.springframework.cloud:spring-cloud-starter-eureka:1.4.5.RELEASE')
11     compile('org.springframework.cloud:spring-cloud-starter-hystrix:1.4.5.RELEASE')
12 }
```

그림 5.11 **msa-service-coffee-status build.gradle**

커피 주문 서비스로부터 발생된 이벤트 메시지를 실시간으로 수신하기 위한 이벤트 메시징 처리 관련 'kafka' 라이브러리를 추가하였습니다. 자식 프로젝트에서 추가한 라이브러리는 해당 프로젝트에서만 사용합니다.

큐잉 시스템 구성

마이크로서비스 간의 데이터 연계가 필요한 경우 이를 해결하기 위해 큐잉 시스템인 카프카(kafka) 시스템을 설치합니다. 카프카 서버를 설치하면 주키퍼(Zookeeper)가 설치 포함되어 있습니다. 주키퍼를 기동한 후에 카프카를 기동하면 됩니다. 큐잉 시스템은 마이크로서비스 간 메시지를 발행하고 구독할 수 있는 메커니즘을 제공하여 마이크로서비스 간 직접적인 호출을 대신할 수 있는 느슨한 관계를 유지해 줍니다.

```
[parkui-MacBook-Pro:kafka_2.12-1.1.0 parkkevin$ pwd
/Users/parkkevin/kafka/kafka_2.12-1.1.0
[parkui-MacBook-Pro:kafka_2.12-1.1.0 parkkevin$ ls -al
total 72
drwxr-xr-x@ 12 parkkevin   staff     384  5 19 09:56 .
drwxr-xr-x    5 parkkevin   staff     160  5 19 09:45 ..
-rw-r--r--@   1 parkkevin   staff   28824  3 24 07:51 LICENSE
-rw-r--r--@   1 parkkevin   staff     336  3 24 07:51 NOTICE
drwxr-xr-x@ 34 parkkevin   staff    1088  3 24 07:55 bin
drwxr-xr-x@ 15 parkkevin   staff     480  5 19 09:55 config
drwxr-xr-x    2 parkkevin   staff      64  5 19 09:31 kafka-logs
drwxr-xr-x@ 79 parkkevin   staff    2528  3 24 07:55 libs
drwxr-xr-x    2 parkkevin   staff      64  5 19 09:28 log
drwxr-xr-x   76 parkkevin   staff    2432  5 20 10:00 logs
drwxr-xr-x@   3 parkkevin   staff      96  3 24 07:55 site-docs
drwxr-xr-x    3 parkkevin   staff      96  5 19 09:56 zookeeper-data
```

그림 5.12 **카프카 시스템**

카프카(Kafka) 공식 사이트에서 최신 버전으로 받은 압축 형태의 파일을 해제하면 됩니다. 기본적으로 주키퍼(Zookeeper)가 내장되어 있고, 주키퍼를 기동한 후 카프카를 기동합니다. 설치와 실행이 간단하며, 카프카 공식 사이트에 잘 정리되어 있으므로 설치와 기동 부분은 참조하기를 바랍니다.

카프카 관련 내용을 정리하면 표 5.6과 같습니다.

표 5.6 **카프카 설정**

구분	항목	위치	설명
구성	디렉터리	LICENSE NOTICE bin config libs log site-docs	카프카 설치 시 구성되는 디렉터리
설정	서버 환경 설정	config/server.properties	변경 사항 없음
	메시지 발행 설정	config/producer	변경 사항 없음
	메시지 구독 설정	config/consume	group.id=consumerGroupId 속성 지정

실행	주키퍼 실행	bin/zookeeper-server-start.sh (윈도우의 경우) bin/windows/zookeeper-server.bat	sh zookeeper-serverstart. sh ../config/zookeeper.properties
	카프카 실행	bin/kafka-server-start.sh (윈도우의 경우) bin/windows/kafka-server.start.bat	sh kafka-server-start.sh ../config/ server.properties

다시 본론으로 돌아와서 카프카 설치를 완료 후에 그림 5.12와 같이 디렉터리 구조를 확인할 수 있습니다.

'bin' 디렉터리 내부로 이동하여 'zookeeper-server-start.sh'를 먼저 실행합니다. 윈도우의 경우 'windows' 디렉터리로 한 번 더 내부로 이동하여 동일 이름의 '.bat' 실행 파일을 실행합니다. 주키퍼가 정상적으로 기동이 완료되면 'kafka-server-start.sh'를 실행합니다. 카프카가 정상적으로 기동되었다면 마이크로서비스 간 메시지 연계를 위한 환경 구성이 완료된 것입니다.

'msa-service-coffee-order' 프로젝트와 'msa-service-coffee-status' 프로젝트에 각각 메시지를 송수신하기 위한 패키지를 구성하여 실시간 처리가 가능하도록 구성합니다. 앞서 설명했듯이 두 마이크로서비스 내부 패키지 중 'messageq' 패키지가 바로 이 부분에 해당하며 'msa-service-coffee-order'는 메시지 생산자로 메시지를 발행하고, 'msa-service-coffee-status'는 메시지 소비자로 메시지를 구독합니다.

5.2 마이크로서비스 구현

커피 주문 마이크로서비스 구현

'커피 주문 마이크로서비스'는 크게 두 개의 영역 'domain'과 'springboot'로 나누어 구성하였습니다. 'domain'은 업무를 구현하기 위한 패키지 구성이고 'springboot'는 구현된 업무를 적절한 기술로 구현하기 위한 패키지로 구성되어 있습니다.

도메인

model

커피 주문 정보를 담을 엔터티(entity)와 밸류 오브젝트(value object)를 구현합니다.

엔터티와 밸류 객체(value object)를 식별하고 기능을 정의하는 것은 객체 모델링에서 중요한 부분입니다. 도메인 모델링 관점에서는 핵심이라 할 수 있습니다.

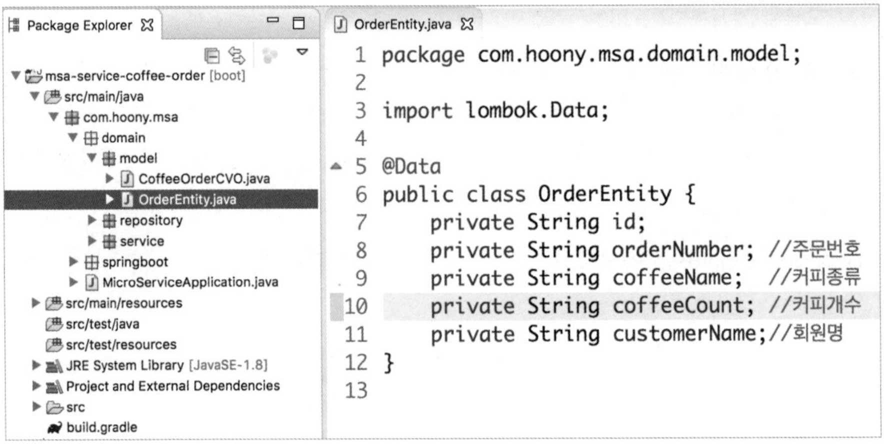

```
Package Explorer 
    msa-service-coffee-order [boot]
        src/main/java
            com.hoony.msa
                domain
                    model
                        CoffeeOrderCVO.java
                        OrderEntity.java
                    repository
                    service
                springboot
                MicroServiceApplication.java
        src/main/resources
        src/test/java
        src/test/resources
        JRE System Library [JavaSE-1.8]
        Project and External Dependencies
        src
        build.gradle
```

```
OrderEntity.java 
 1  package com.hoony.msa.domain.model;
 2
 3  import lombok.Data;
 4
 5  @Data
 6  public class OrderEntity {
 7      private String id;
 8      private String orderNumber;   //주문번호
 9      private String coffeeName;    //커피종류
10      private String coffeeCount;   //커피개수
11      private String customerName;  //회원명
12  }
13
```

그림 5.13 **msa-service-coffee-order model-entity**

'커피 주문' 서비스의 클라이언트 화면이 있을 것이고 서비스를 호출할 때는 관련된 매개변수(parameter)를 'JSON' 타입으로 요청 정보(request)에 담아서 전송할 것입니다.

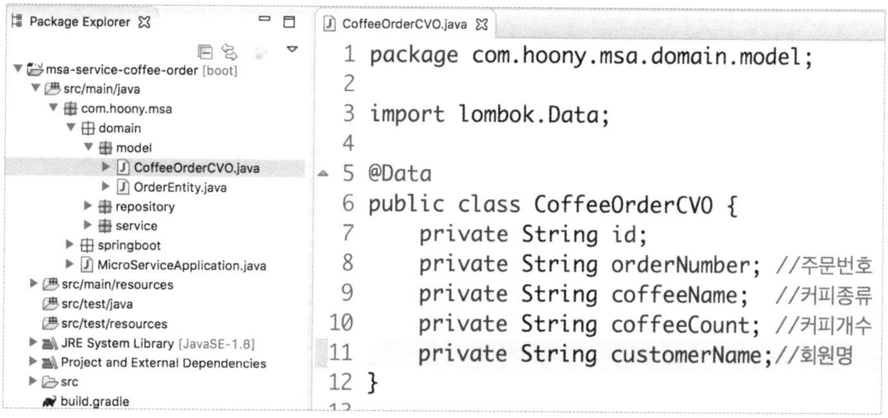

그림 5.14 **msa-service-coffee-order model-cvo**

백엔드(back-end) 서비스인 마이크로서비스 입장에서는 클라이언트로부터 넘어오는 요청 매개변수를 대응할 밸류 객체가 필요합니다. 이러한 역할을 하는 밸류 객체를 'CVO'라 하겠습니다. 'model' 패키지에서 'CoffeeOrderCVO'가 바로 그 역할을 수행합니다. 이를테면 클라이언트가 백엔드 서비스를 호출할 때 '주문번호' 정보를 {"orderNumber": "1"…}과 같이 JSON 형태로 서비스 요청 매개변수에 담아 보낸다면 'CoffeeOrderCVO' 클래스 대응할 수 있는 'orderNumber' 멤버변수로 대응합니다

repository

정의된 엔티티와 밸류 객체를 이용해서 구현합니다.

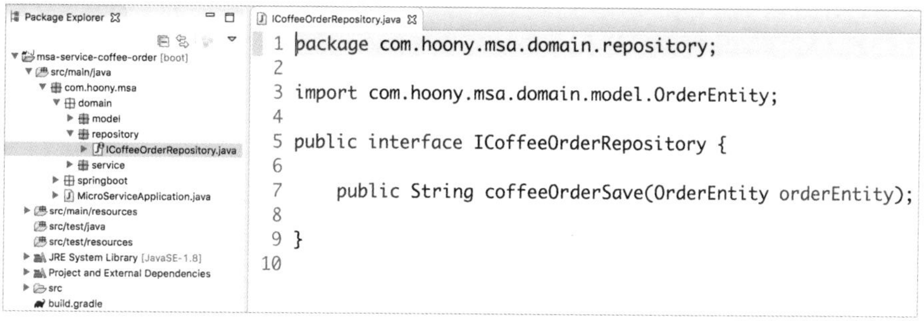

그림 5.15 **msa-service-coffee-order repository**

'커피 주문' 데이터의 CRUD(Create/Read/Update/Delete) 처리와 관련된 인터페이스를 정의합니다. 예제에서는 주문 내역을 저장할 'OrderEntity'를 매개변수(parameter)로 하는 'coffeeOrderSave' 함수를 하나 만듭니다.

service

도메인 영역에서 다루고자 하는 비즈니스 로직입니다. '커피 주문' 마이크로서비스에서 주문 처리를 위한 인터페이스를 만들고 매개변수로 CoffeeOrderCVO를 받는 'ICoffeeOrder'라는 이름의 인터페이스를 만듭니다.

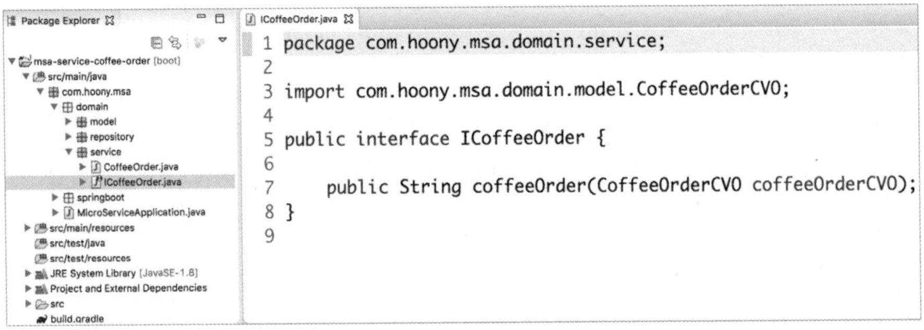

그림 5.16 **msa-service-coffee-order service-ICoffeeOrder**

'IcoffeeOrder'를 구현하는 'CoffeeOrder' 클래스를 만들고 핵심 로직을 구현합니다.

```
J CoffeeOrder.java ⊠
  1  package com.hoony.msa.domain.service;
  2
  3⊕ import com.hoony.msa.domain.model.CoffeeOrderCVO;⎵
  6
  7  public class CoffeeOrder implements ICoffeeOrder {
  8
  9      private ICoffeeOrderRepository iCoffeeOrderRepository;
 10
 11⊖     public CoffeeOrder(ICoffeeOrderRepository iCoffeeOrderRepository) {
 12          this.iCoffeeOrderRepository = iCoffeeOrderRepository;
 13      }
 14
 15⊖     @Override
△16      public String coffeeOrder(CoffeeOrderCVO coffeeOrderCVO) {
 17
 18          OrderEntity orderEntity = new OrderEntity();
 19          orderEntity.setOrderNumber(coffeeOrderCVO.getOrderNumber());
 20          orderEntity.setCoffeeName(coffeeOrderCVO.getCoffeeName());
 21          orderEntity.setCoffeeCount(coffeeOrderCVO.getCoffeeCount());
 22          orderEntity.setCustomerName(coffeeOrderCVO.getCustomerName());
 23
 24          iCoffeeOrderRepository.coffeeOrderSave(orderEntity);
 25
 26          return orderEntity.getId();
 27      }
 28  }
```

그림 5.17 **msa-service-coffee-order service-CoffeeOrder**

'CoffeeOrder' 클래스는 커피 주문 내역 정보를 저장하는 역할을 담당합니다. 커피 주문 내역인 주문 번호, 커피 이름, 커피 개수, 회원명 정보의 데이터를 저장합니다. 커피 주문 내역 데이터는 'coffeeOrderCVO' 객체로 전달됩니다.

스프링부트

configuration

커피 주문 정보를 저장할 데이터베이스를 설정하는 영역입니다.

그림 5.18 **msa-service-coffee-order springboot-configuration-WebConfiguration**

그림 5.18은 'H2' 데이터베이스 설정과 관련된 내용입니다. 테스트를 위해 메모리상에 올려서 사용할 수 있는 'H2' 데이터베이스를 사용하였습니다. 페이지의 접속 URL은 현재 서버, 즉 '커피 주문 마이크로서비스'의 주소가 되고 콘텍스트 루트(context root) 설정을 위해서 'ContextRoot'를 'console'로 정의합니다. 'http://<ip>:<port>/console' 형태의 URI로 접속할 수 있습니다.

messageq

커피 주문 정보를 '주문 처리 상태 확인' 마이크로서비스에게 전달하기 위해서 큐잉 시스템 사용 설정을 하는 영역입니다.

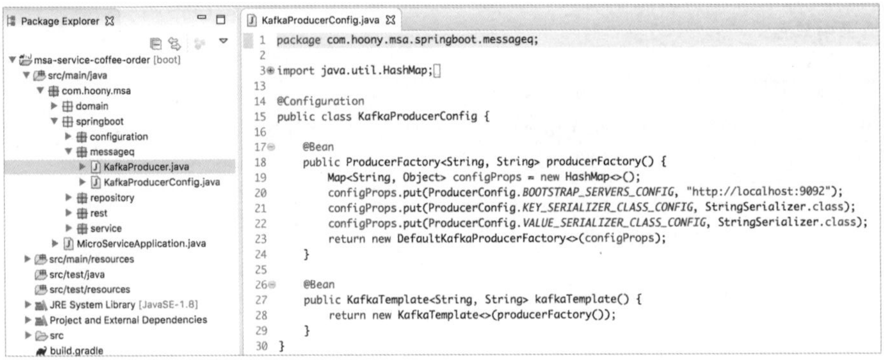

그림 5.19 **msa-service-coffee-order springboot-messageq-KafkaProducerConfig**

예제를 위해 사용할 큐잉 시스템은 카프카(kafka)이고, 카프카 서버는 기본적으로 '9092' 포트를 사용합니다. 그리고 로컬 PC 환경에 설치할 거라 호스트 주소는 'localhost:9092'가 됩니다. 이와 관련한 설정은 'KafkaProducerConfig' 클래스에서 설정합니다. 이후 'KafkaProducer' 클래스에서 메시지를 보내는 함수를 구현합니다.

repository

데이터의 저장을 담당하는 영역입니다. 앞서 도메인 영역에서 커피 주문 정보를 저장하는 로직을 구현하였습니다.

스프링부트 영역의 'repository'에서는 앞서 구현된 로직을 'JPA' 기반으로 저장할 수 있게 재정의합니다.

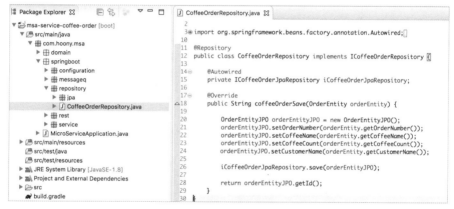

그림 5.20 **msa-service-coffee-order springboot-repository**

Repository 클래스는 'Entity'를 저장하기 위해서 'JPA' 구조에 상응하는 객체가 필요한데 'OrderEntityJPO' 객체를 만들어서 물리 데이터베이스와 객체 매핑 목적으로 사용합니다.

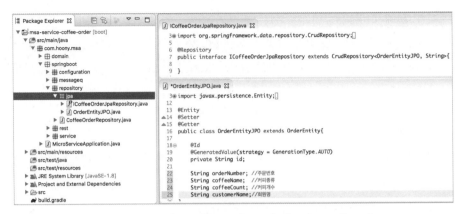

그림 5.21 **msa-service-coffee-order springboot-repository-jpa**

'id'는 '@Id' 어노테이션을 사용하고 '@GeneratedValue(strategy = GenerationType.AUTO)' 설정을 통해 'id'가 자동으로 생성되게 구현합니다.

rest

커피 주문 요청을 처리하기 위한 REST API 입니다. 전체적인 로직은 먼저 회원 정보를 확인하고 주문 데이터를 저장한 후 '주문 처리 상태 확인' 마이크로서비스에 주문 내역 을 전달하기 위해 큐잉 시스템으로 전송하는 프로세스의 흐름입니다.

```
J CoffeeOrderRestController.java ⌦

 1  package com.hoony.msa.springboot.rest;
 2
 3⊕import org.springframework.beans.factory.annotation.Autowired;⬚
16
17  @RestController
18  public class CoffeeOrderRestController {
19
20⊖    @Autowired
21     private CoffeeOrderServiceImpl coffeeOrderServiceImpl;
22
23⊖    @Autowired
24     private KafkaProducer kafkaProducer;
25
26⊖    @Autowired
27     private IMsaServiceCoffeeMember iMsaServiceCoffeeMember;
28
29⊖    @HystrixCommand
30     @RequestMapping(value = "/coffeeOrder", method = RequestMethod.POST)
31     public ResponseEntity<CoffeeOrderCVO> coffeeOrder(@RequestBody CoffeeOrderCVO coffeeOrderCVO) {
32
33         //is member
34         if(iMsaServiceCoffeeMember.coffeeMember(coffeeOrderCVO.getCustomerName())) {
35             System.out.println(coffeeOrderCVO.getCustomerName() + " is a member!");
36         }
37
38         //coffee order
39         coffeeOrderServiceImpl.coffeeOrder(coffeeOrderCVO);
40
41         //kafka
42         kafkaProducer.send("hoony-kafka-test", coffeeOrderCVO);
43
44         return new ResponseEntity<CoffeeOrderCVO>(coffeeOrderCVO, HttpStatus.OK);
45     }
46  }
```

그림 5.22 **msa-service-coffee-order springboot-rest**

그림 5.22의 소스 코드를 간략히 설명하면 표 5.7과 같이 요약할 수 있습니다.

표 5.7 **커피 주문 마이크로서비스 REST Controller**

구분		용도	설명
클래스명	CoffeeOrderRestController	REST Controller	커피 주문 마이크로서비스의 REST API 구현
메서드명	coffeeOrder	커피 주문 정보 저장	아래의 순으로 수행됨 1. 회원 정보 확인 2. 커피 주문 정보 저장 3. 저장 내역 전송(큐잉 시스템)
REST API	URI	/coffeeOrder	coffeeOrder 함수를 실행함 클라이언트에서 호출되는 주소는 http://도메인/coffeeOrder 형태가 됨
	Method type	RequestMethod.POST	클라이언트 요청 방식 (POST, GET, PUT, DELETE)

'CoffeeOrderRestController' 에서는 '커피 주문' 처리를 하고 'kafkaProducer'에 제공하는 'send' 함수를 이용하여 '주문 처리 상태 확인' 서비스로 전송할 메시지를 'topic id'를 지정하여 전송합니다.

service

스프링부트 영역의 'service' 패키지는 커피 주문을 처리하는 핵심 로직을 구현해야 하지만, 이미 도메인 영역의 'service' 패키지에서 구현하였으므로 상속받아서 데이터 저장 방식만 결정하면 됩니다.

그리고 '회원 확인' 마이크로서비스를 호출하여 회원 정보를 얻기 위해 'FeignClient'를 이용하여 해당 기능을 구현합니다.

그림 5.23 **msa-service-coffee-order springboot-service**

'springboot' 영역에서는 'domain' 영역에서 정의하고 구현한 인터페이스나 클래스를 상속하여 사용합니다. 'domain' 영역은 도메인 본연의 관심에 집중해서 기술 독립적으로 개발했으므로 'springboot' 영역에서는 스프링 프레임워크에서 요구하는 방법으로 맞춰서 개발이 필요합니다.

지금까지 '커피 주문' 마이크로서비스에 구현에 관련된 소스 코드를 살펴보았습니다. 요약하면 그림 5.24와 같습니다.

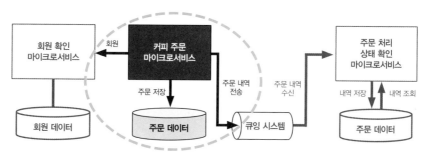

그림 5.24 **커피 주문 마이크로서비스 구현**

회원 확인 마이크로서비스 구현

'회원 확인' 마이크로서비스의 주요 기능은 커피를 주문한 사람이 커피 전문점의 회원인지를 확인하기 위한 서비스입니다. REST URI 호출이 가능하도록 REST API를 작성하여 오픈하면 됩니다. 물론, 회원 정보는 회원 확인 서비스에서 관리하는 데이터입니다. '커피 주문' 마이크로서비스와는 다른 패키지 구성을 가지고 있습니다.

springboot

configuration

'회원 정보' 관리를 위한 데이터베이스 정보를 설정합니다.

그림 5.25 **msa-service-coffee-member spring-configuration**

repository

'repository' 패키지는 회원 정보를 조회하는 기능을 구현하기 위한 패키지입니다. '커피 주문 마이크로서비스'와는 다른 구조로 데이터베이스 처리를 위해서 'mybatis' 라이브러리를 사용하였습니다. 'repository'의 클래스 'CoffeeMemberRepository'는 'mybatis' 라이브러리에서 제공하는 Mapper를 사용하여 구현하였습니다.

데이터베이스에 저장된 회원 정보를 조회하기 위한 함수를 선언합니다. 테스트 데이터 생성을 위한 테이블과 데이터 생성 함수도 선언합니다.

```
1  package com.hoony.msa.springboot.repository;
2
3  import org.apache.ibatis.annotations.Mapper;
6
7  @Mapper
8  public interface ICoffeeMemberMapper {
9      MemberDVO existsByMemberName(MemberDVO memberDVO);
10     int createMemberTable();
11     int insertMemberData();
12  }
13
```

그림 5.26 **msa-service-coffee-member springboot-repository**

'커피 주문'과 마찬가지로 JPA 처리와 같이 데이터베이스의 칼럼과 바인딩될 객체를 생성합니다. 이러한 객체를 데이터 밸류 객체(Data Value Object)라고 임의로 정하고, 'MemberDVO'를 구현합니다.

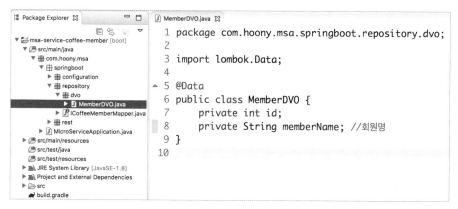

그림 5.27 **msa-service-coffee-member springboot-repository-dvo**

rest

'회원 확인' REST API를 만들기 위한 클래스를 구현합니다.

```java
[J] CoffeeMemberRestController.java  [X]
 3⊕ import org.springframework.beans.factory.annotation.Autowired;[]
15
16  @RefreshScope
17  @RestController
18  public class CoffeeMemberRestController {
19
20⊖     @Autowired
21      ICoffeeMemberMapper iCoffeeMemberMapper;                          회원 확인
22
23⊖     @HystrixCommand
24      @RequestMapping(value = "/coffeeMember/v1.0/{memberName}", method = RequestMethod.GET)
25      public boolean coffeeMember(@PathVariable("memberName") String memberName) {
26
27          MemberDVO memberDVO = new MemberDVO();
28          memberDVO.setMemberName(memberName);
29
30          if(iCoffeeMemberMapper.existsByMemberName(memberDVO)
31                  .getMemberName()
32                  .isEmpty()) return false;
33          else return true;
34      }
35
36⊖     @HystrixCommand
37      @RequestMapping(value = "/coffeeMember/v1.1", method = RequestMethod.POST)
38      public boolean coffeeMember(@RequestBody MemberRVO memberRVO) {
39
40          MemberDVO memberDVO = new MemberDVO();
41          memberDVO.setMemberName(memberRVO.getMemberName());
42
43          if(iCoffeeMemberMapper.existsByMemberName(memberDVO)
44                  .getMemberName()
45                  .isEmpty()) return false;
46          else return true;
47      }                                                            서킷 브레이커 테스트
48
49⊖     @HystrixCommand(fallbackMethod = "fallbackFunction")
50      @RequestMapping(value = "/fallbackTest", method = RequestMethod.GET)
51      public String fallbackTest() throws Throwable{
52          throw new Throwable("fallbackTest");
53      }
54⊖     public String fallbackFunction(){
55          return "fallbackFunction()";
56      }
57
58⊖     @RequestMapping(value = "/createMemberTable", method = RequestMethod.PUT)
59      public void createMemberTable() {
60          iCoffeeMemberMapper.createMemberTable();
61      }
62
63⊖     @RequestMapping(value = "/insertMemberData", method = RequestMethod.PUT)
64      public void insertMemberData() {
65          iCoffeeMemberMapper.insertMemberData();              테스트 테이블 & 데이터 생성
66      }
67  }
```

그림 5.28 **msa-service-coffee-member springboot-rest**

회원 유무에 따라서 boolean 타입을 반환(return)하는 함수를 구현하였습니다. 이 함수에서는 'ICoffeeMemberService' 인터페이스에 'existsByMemerName' 함수를 호출합니다.

외부에서도 호출할 수 있도록 REST URI 주소를 부여하였습니다. REST URI는 '/coffeeMember/<버전>/구분자'로 정의했습니다. 일반적으로 <버전>은 줄 서버에서 지정합니다. 이해를 돕기 위해서 본 예제에서는 REST API 함수에 바로 기술했습니다.

'커피 주문 마이크로서비스'와 차이점을 확인할 수 있습니다. '커피 주문' 마이크로서비스에서는 스프링부트 영역의 서비스 클래스는 로직을 구현하지 않고 도메인 영역에서 구현된 로직을 상속하는 것만으로도 구현이 되었지만, '회원 확인' 마이크로서비스에서는 스프링부트 영역에서 서비스를 직접 구현해야 합니다. 도메인 중심의 구현이 아닌 기술 종속적인 구현의 차이입니다.

지금까지 '회원 확인' 마이크로서비스 구현에 관련된 소스 코드를 살펴보았습니다. 요약하면 그림 5.29와 같습니다.

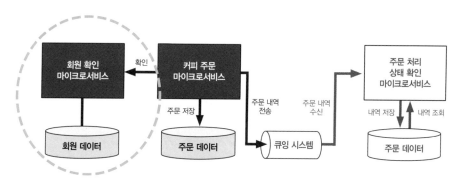

그림 5.29 **회원 확인 마이크로서비스 구현**

주문 처리 상태 확인 마이크로서비스 구현

'주문 처리 상태 확인 마이크로서비스'의 주요 기능은 커피를 주문한 주문 내역을 실시간으로 확인하는 서비스입니다. '커피 주문 마이크로서비스'에서 실시간으로 발행되는 이벤트 메시지를 구독하여 보여 주는 구조를 설계하였습니다.

springboot

configuration

'주문 처리 상태 확인' 관리를 위한 데이터베이스 정보를 설정합니다.

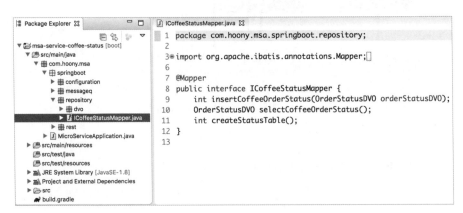

그림 5.30 **msa-service-coffee-status springboot-configuration**

repository

'repository' 패키지는 주문 처리 상태 정보를 조회하는 기능을 구현하기 위한 패키지입니다.

'커피 주문' 마이크로서비스와는 다른 구조로 'repository'의 클래스인 'CoffeeMember Repository'도 'mybatis' 라이브러리에서 제공하는 'Mapper'를 사용하여 구현하였습니다.

```
package com.hoony.msa.springboot.repository;

import org.apache.ibatis.annotations.Mapper;

@Mapper
public interface ICoffeeStatusMapper {
    int insertCoffeeOrderStatus(OrderStatusDVO orderStatusDVO);
    OrderStatusDVO selectCoffeeOrderStatus();
    int createStatusTable();
}
```

그림 5.31 **msa-service-coffee-status springboot-repository**

'커피 주문'과 마찬가지로 JPA 처리와 같이 데이터베이스의 칼럼과 바인딩될 객체를 생성합니다. 이러한 객체를 데이터 밸류 객체(Data Value Object)라고 임의로 정하고, 'OrderStatusDVO'를 구현합니다.

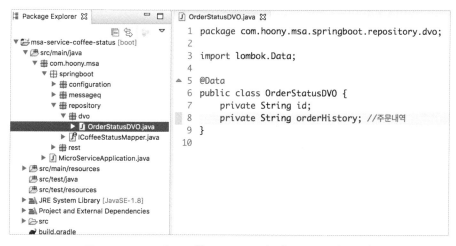

그림 5.32 **msa-service-coffee-status springboot-repository-dvo**

messageq

카프카(kafka) 서버로부터 메시지를 구독하는 패키지입니다. 메시지 큐 패키지는 총 두 개의 클래스로 구성되어 있습니다. 각 클래스의 기능을 살펴보면 먼저 'KafkaConsumer' 클래스는 카프카 큐로부터 메시지를 감지하여 수신 처리를 하는 임무를 수행합니다. 메시지를 감지하기 위해서 '@KafkaListener' 어노테이션을 이용해서 메시지 구독 리스너를 실행하고, 구독한 메시지를 데이터베이스에 저장합니다. 'KafkaConsumerConfig' 클래스는 카프카 큐에 접속하기 위한 설정과 메시지 구독을 위한 리스너 설정을 수행합니다.

```
🔲  Package Explorer ⌕        ▽ ⯈ 🔲    🗍 KafkaConsumer.java ⌕
                 🗋 🗞 🗄 🗄 ▽       1   package com.hoony.msa.springboot.messageq;
                                     2
▼ 📦 msa-service-coffee-status [boot]   3⊕ import org.springframework.beans.factory.annotation.Autowired;🗍
  ▼ 📂 src/main/java                    9
    ▼ ⊞ com.hoony.msa               10   @Service
      ▼ ⊞ springboot               11   public class KafkaConsumer {
        ⯈ ⊞ configuration           12
        ▼ ⊞ messageq                13⊖     @Autowired
          ⯈ 🗋 KafkaConsumer.java    14     ICoffeeStatusMapper iCoffeeStatusMapper;
          ⯈ 🗋 KafkaConsumerConfig.java  15
        ⯈ ⊞ repository              16⊖     @KafkaListener(topics="hoony-kafka-test")
        ⯈ ⊞ rest                   17     public void processMessage(String kafkaMessage) {
      ⯈ 🗋 MicroServiceApplication.java  18
  ⯈ 📂 src/main/resources           19         System.out.println("kafkaMessage : =====> " + kafkaMessage);
    📂 src/test/java                20
    📂 src/test/resources           21         OrderStatusDVO orderStatusDVO = new OrderStatusDVO();
  ⯈ 🗄 JRE System Library [JavaSE-1.8]  22         orderStatusDVO.setOrderHistory(kafkaMessage);
  ⯈ 🗄 Project and External Dependencies  23
  ⯈ 📂 src                          24         iCoffeeStatusMapper.insertCoffeeOrderStatus(orderStatusDVO);
    🔗 build.gradle                 25     }
                                    26   }
```

그림 5.33 **msa-service-coffee-status messageq KafkaConsumer**

앞서 '커피 주문' 마이크로서비스에서 'Topics'를 'hoony-kafka-test'라는 이름으로 약속
하였고 카프카 리스너(KafkaListener)는 해당 'Topics'를 감지하면 해당하는 메시지를 수
신합니다. 수신한 메시지는 데이터베이스에 저장합니다.

```
🔲  Package Explorer ⌕        ▽ ⯈ 🔲    🗍 KafkaConsumerConfig.java ⌕
                 🗋 🗞 🗄 🗄 ▽       1   package com.hoony.msa.springboot.messageq;
                                     2⊕ import java.util.HashMap;🗍
▼ 📦 msa-service-coffee-status [boot]  13
  ▼ 📂 src/main/java                  14   @EnableKafka
    ▼ ⊞ com.hoony.msa               15   @Configuration
      ▼ ⊞ springboot               16   public class KafkaConsumerConfig {
        ⯈ ⊞ configuration           17⊖     @Bean
        ▼ ⊞ messageq                18     public ConsumerFactory<String, String> consumerFactory() {
          ⯈ 🗋 KafkaConsumer.java    19         Map<String, Object> properties = new HashMap<>();
          ⯈ 🗋 KafkaConsumerConfig.java  20         properties.put(ConsumerConfig.BOOTSTRAP_SERVERS_CONFIG, "http://localhost:9092");
        ⯈ ⊞ repository              21         properties.put(ConsumerConfig.GROUP_ID_CONFIG, "consumerGroupId");
        ⯈ ⊞ rest                   22         properties.put(ConsumerConfig.KEY_DESERIALIZER_CLASS_CONFIG, StringDeserializer.class);
      ⯈ 🗋 MicroServiceApplication.java  23         properties.put(ConsumerConfig.VALUE_DESERIALIZER_CLASS_CONFIG, StringDeserializer.class);
  ⯈ 📂 src/main/resources           24         return new DefaultKafkaConsumerFactory<>(properties);
    📂 src/test/java                25     }
    📂 src/test/resources           26⊖     @Bean
  ⯈ 🗄 JRE System Library [JavaSE-1.8]  27     public ConcurrentKafkaListenerContainerFactory<String, String> kafkaListenerContainerFactory() {
  ⯈ 🗄 Project and External Dependencies  28         ConcurrentKafkaListenerContainerFactory<String, String>
  ⯈ 📂 src                          29         kafkaListenerContainerFactory = new ConcurrentKafkaListenerContainerFactory<>();
    🔗 build.gradle                 30         kafkaListenerContainerFactory.setConsumerFactory(consumerFactory());
    🗋 Dockerfile                   31         return kafkaListenerContainerFactory;
                                    32     }
                                    33   }
```

그림 5.34 **msa-service-coffee-status messageq KafkaConsumerConfig**

'KafkaConsumerConfig' 클래스에서는 카프카 서버에 연결하기 위한 설정을 구현합니다.

rest

'커피 주문'의 상태 메시지를 수신하여 화면에 출력하는 마이크로서비스입니다. 물론, 오프라인에서는 커피를 제조하는 일이 완료되었을 때도 상태를 알리기 위해서 서비스를 사용하겠지만 그 부분은 제외하겠습니다.

```java
🎵 CoffeeOrderStatusRestController.java ☒
 1  package com.hoony.msa.springboot.rest;
 2
 3⊕ import org.springframework.beans.factory.annotation.Autowired;⬚
13
14  @RestController
15  public class CoffeeOrderStatusRestController {
16
17⊖     @Autowired
18      ICoffeeStatusMapper iCoffeeStatusMapper;          주문 처리 상태 확인
19
20⊖     @HystrixCommand
21      @RequestMapping(value = "/coffeeOrderStatus", method = RequestMethod.POST)
22      public ResponseEntity<OrderStatusDVO> coffeeOrderStatus() {
23
24          OrderStatusDVO orderStatusDVO = iCoffeeStatusMapper.selectCoffeeOrderStatus();
25
26          return new ResponseEntity<OrderStatusDVO>(orderStatusDVO, HttpStatus.OK);
27      }
28
29⊖     @RequestMapping(value = "/createStatusTable", method = RequestMethod.PUT)
30      public void createStatusTable() {
31          iCoffeeStatusMapper.createStatusTable();
32      }                                                  테스트 테이블 생성
33  }
```

그림 5.35 **msa-service-coffee-status rest**

rest 패키지에서는 '주문 처리 상태 확인' 마이크로서비스를 API로 노출하기 위해서 'CoffeeOrderStatusRestController' 클래스를 구현하였습니다. 'CoffeOrderStatus' 함수는 메시지 시스템으로부터 구독한 메시지를 반환하기 위해서 데이터베이스에 저장된 메시지를 가지고 옵니다.

지금까지 '주문 처리 상태 확인' 마이크로서비스에 구현에 관련된 소스 코드를 살펴보았습니다. 요약하면 그림 5.36과 같습니다.

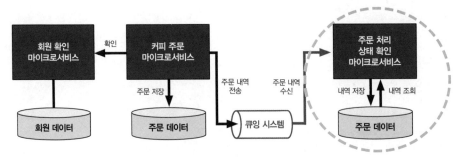

그림 5.36 **주문 처리 상태 확인 마이크로서비스 구현**

마이크로서비스 아키텍처 구축

6.1 마이크로서비스 아키텍처 구성

스프링클라우드 아키텍처 참조 모델

스프링클라우드 아키텍처 구성도

스프링클라우드에서 제공하는 넷플릭스 오픈소스인 줄(Zuul)*, 유레카(Eureka)** 와 터빈(Turbine)***, 히스트릭스 대시보드(Hystrix Dashboard)**** 등의 라이브러리를 사용하여 마이크로서비스 아키텍처 시스템 환경을 쉽게 구성할 수 있습니다. 마이크로서비스가 원활하게 동작할 수 있도록 지원하는 '설정 서버', '줄 서버', '유레카 서버', '히스트릭스 대시보드', '터빈 서버' 등의 시스템들을 에코시스템(eco-system)이라고 하겠습니다.

---

* https://github.com/Netflix/zuul/wiki

** https://github.com/Netflix/eureka/wiki

*** https://github.com/Netflix/turbine/wiki

**** https://github.com/Netflix/Hystrix

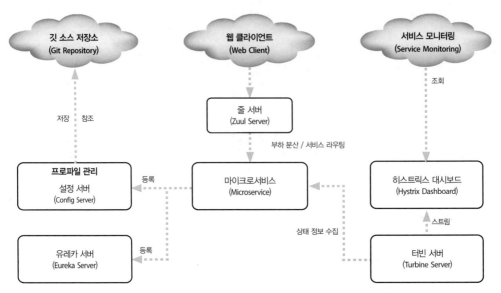

그림 6.1 **스프링클라우드 기반 마이크로서비스 아키텍처**

스프링부트를 이용하여 에코시스템들을 기동할 수 있으며, 스프링부트의 환경 설정 파일인 'application.yml' 파일에 설정값을 작성하여 에코시스템들 서버의 운영 방식이나 마이크로서비스와 에코시스템 간 연결에 필요한 설정을 할 수 있습니다.

깃(Git) 저장소는 소스뿐만 아니라 각각의 마이크로서비스가 사용할 프로파일 정보를 파일로 관리할 수 있는 공간입니다.

설정 서버(config server)는 깃 저장소에 저장된 프로파일 정보를 읽어들여 마이크로서비스가 필요할 때 사용할 수 있도록 서비스를 제공합니다.

유레카 서버는 마이크로서비스의 기동 유무에 관한 정보를 관리하여 마이크로서비스가 등록되거나 삭제될 때 자동으로 감지하는 역할을 수행합니다. 마이크로서비스가 기동되는 시점에 유레카 서버에게 자신의 존재를 알려서 등록합니다.

줄 서버는 클라이언트의 서비스 요청을 적절히 분산시키고, 요청한 서비스가 실행될 수 있도록 서비스 라우팅(routing)을 수행합니다.

터빈 서버는 분산된 마이크로서비스에서 생성하는 서비스 응답 상태 스트림 메시지 (stream message)를 한 군데로 수집하는 역할을 수행합니다.

히스트릭스 대시보드는 터빈에서 보내는 분산 마이크로서비스의 스트림 메시지를 대시보드에 시각적으로 보여 주는 역할을 합니다.

스프링클라우드 아키텍처 구성 요소

스프링클라우드 아키텍처는 마이크로서비스 환경 구성을 위해 필요한 기본적인 기능을 제공하고 있습니다. 구성 요소를 정리하면 표 6.1과 같습니다.

표 6.1 **스프링클라우드 기반 마이크로서비스 아키텍처 구성 요소**

구분	구성 요소
소스 저장소	깃 소스 저장소(Git repository)
서비스 관리	설정 서버(Config server)
	유레카 서버(Eureka server)
서비스 게이트웨이	줄 서버(Zuul server)
스트림 처리	터빈 서버(Turbine server)
	히스트릭스 대시보드(Hystrix Dashboard)

커피 전문점 마이크로서비스 아키텍처 구성도 및 구성 요소

커피 전문점 마이크로서비스 아키텍처 구성도

스프링클라우드 아키텍처를 참조 모델로 하여 커피 전문점 마이크로서비스 아키텍처를 구성해 봅니다.

그림 6.2에서의 마이크로서비스와 에코시스템 간의 동작 흐름을 이해해 보도록 하겠습니다. 이를 통해 전체적인 시스템의 동작 흐름을 이해할 수 있습니다.

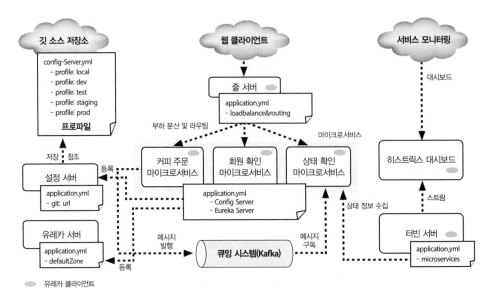

그림 6.2 **커피 전문점 마이크로서비스 아키텍처 구성도**

에코시스템들이 기동할 때는 설정 서버와 유레카 서버는 다른 서버들보다 먼저 실행이 되어야 합니다. 설정 서버의 도움 없이는 시스템에 사용된 설정값들을 알 수 없고, 유레카 서버가 동작 중이지 않으면 서비스 수행 여부를 알 수 없기 때문입니다.

먼저, 설정 서버를 기동하면 설정 서버에 등록된 깃 주소를 참고하여 시스템에서 사용할 프로파일 정보를 로드합니다. 이어 유레카 서버를 기동합니다.

유레카 서버는 유레카 클라이언트들이 접속할 수 있는 'defaultZone' 서버 주소를 오픈합니다.

줄 서버는 유레카 서버에 등록된 마이크로서비스 이름을 이용하여 마이크로서비스로 라우팅을 수행합니다.

마이크로서비스 간 메시지 전달을 위해 큐잉 시스템을 구성하였습니다. '커피 주문' 서비스에서 발행한 메시지를 '주문 처리 상태 확인' 서비스에서 구독하여 처리합니다.

터빈 서버는 기동 시에 터빈 서버에 등록된 마이크로서비스들의 주소를 참조하여 분산된 마이크로서비스에서 생성하는 스트림 메시지를 수신할 준비를 합니다.

히스트릭스 대시보드 서버는 분산 마이크로서비스에서 수집된 스트림 메시를 일괄 수집한 터빈 서버에서 보내는 터빈 스트림 메시지를 수신할 준비를 합니다.

커피 전문점 마이크로서비스 아키텍처 구성 요소

커피 전문점 아키텍처 구성은 앞서 설명한 것처럼 스프링클라우드 아키텍처에 큐잉 시스템을 추가로 구성하였고, 구성 요소는 정리하면 표 6.2와 같습니다.

표 6.2 **커피 전문점 마이크로서비스 아키텍처 구성 요소**

구성 요소	설명
깃 소스 저장소(Git repository)	마이크로서비스 소스 관리 및 프로파일 관리
설정 서버(Config server)	깃 저장소에 등록된 프로파일 연계
유레카 서버(Eureka server)	마이크로서비스 등록 및 발견
줄 서버(Zuul server)	마이크로서비스 부하 분산 및 서비스 라우팅
마이크로서비스(Microservice)	커피 주문, 회원 확인, 주문 처리 상태 확인 서비스
큐잉 시스템(Queueing system)	마이크로서비스 간 메시지 발행 및 구독
터빈 서버(Turbine server)	마이크로서비스의 스트림 데이터 수집
히스트릭스 대시보드(Hystrix Dashboard)	마이크로서비스 스트림 데이터 모니터링 및 시각화

6.2 커피 전문점 마이크로서비스 아키텍처 구축

설정 서버

설정 서버(config server)는 서비스의 프로파일(profile)을 관리하는 서버입니다. 설정 파일(configuration file)은 서비스에서 사용할 프로파일 정보를 깃 서버(Git server)에 저장합니다. 설정 서버에서 사용할 설정 정보를 'xxx.yml'이라는 임의의 이름으로 만들고 설정 정보를 기술하고 저장합니다. 설명을 위해 'config-server.yml'라는 임의의 이름으로 정하겠습니다. 프로파일은 이름을 다르게 하여 여러 개 설정할 수 있습니다. 예를 들면, 하나의 파일에서 로컬 서버, 개발 서버, 테스트 서버, 스테이지 서버, 운영 서버에서 사용하는 설정값들이 다를 경우 프로파일로 구분하여 각각 다른 값으로 설정할 수 있습니다.

```
spring:
  profiles: local

msaconfig:
  greeting: "welcome to local server"


---


spring:
  profiles: dev

msaconfig:
  greeting: "welcome to dev server"


---


spring:
  profiles: test

msaconfig:
  greeting: "welcome to test server"


---


spring:
  profiles: staging

msaconfig:
  greeting: "welcome to staging server"


---


spring:
  profiles: prod

msaconfig:
  greeting: "welcome to prod server"
```

그림 6.3 **config server profile**

'spring profiles'는 프로파일의 이름을 뜻합니다. 'msaconfig greeting' 메시지를 각 프로
파일별로 다르게 설정하고 싶은 경우 그림 6.3처럼 입력합니다. 설정 서버(config server)
가 실행될 때 'application.yml'에 기록된 깃 저장소 주소를 참조하여 깃 저장소 주소에
등록된 yml의 프로파일 정보를 로드합니다.

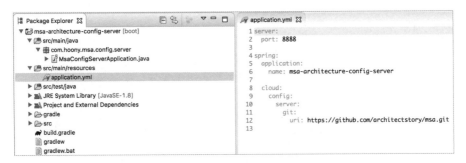

그림 6.4 **config server applicaiton.yml**

설정 서버는 웹 애플리케이션 서버에서 사용하는 여러 용도의 환경 설정값을 일괄적으로 관리하고, 서버의 용도별로 적절하게 동적으로 적용될 수 있는 기능을 제공합니다.

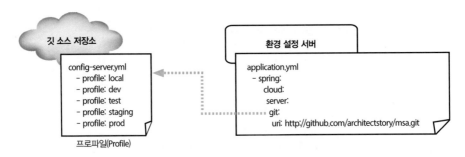

그림 6.5 **profile과 application.yml과의 관계**

설정 서버가 기동 시에 등록된 'Github URL'를 참조하여 프로파일 정보를 읽어서 메모리로 로딩합니다. 마이크로서비스 개발을 위한 개발 서버와 개발된 소스를 테스트하기 위한 테스트 서버, 운영 서버로 소스를 적용하기 전 운영 서버와 같은 환경에서 테스트하기 위한 스테이지 서버, 운영 서버로 나누어 용도별로 운영하는 것이 일반적인 구성입니다. 용도별로 서버에서 사용하는 IP, 포트(port), 기타 환경 설정 관련 값들이 서로 다를 것이고, 서버가 바뀔 때마다 매번 값을 바꿔 주며 관리하는 것은 사실상 어렵습니다. 설정 서버에서는 이러한 설정값들을 용도에 맞게 동적으로 적용할 수 있도록 일괄적으로 관리할 수 있는 기능을 제공합니다. 만일 깃에 등록되어 있는 프로파일 정보가

바뀌면 'http://<설정 서버 주소>/<프로파일명>/refresh'를 실행하여 갱신해 주면 변경된
내용은 다시 설정 서버에 반영됩니다.

localhost:8888/config-server/refresh

{"name":"config-server","profiles":
["refresh"],"label":null,"version":"6a0fff1bda30e3e9f6f9e91652
8b7515fd19deb6","state":null,"propertySources":
[{"name":"https://github.com/architectstory/msa.git/config-
server.yml","source":{"msaconfig.greeting":"hello"}}]}

그림 6.6 **config server refresh**

예제의 경우 앞서 프로파일명이 config-server.yml이었으므로 주소 정보는 'http://
localhost:8888/config-server/refresh'가 됩니다. 마이크로서비스의 재기동 없이 변경된
설정값이 반영됩니다.

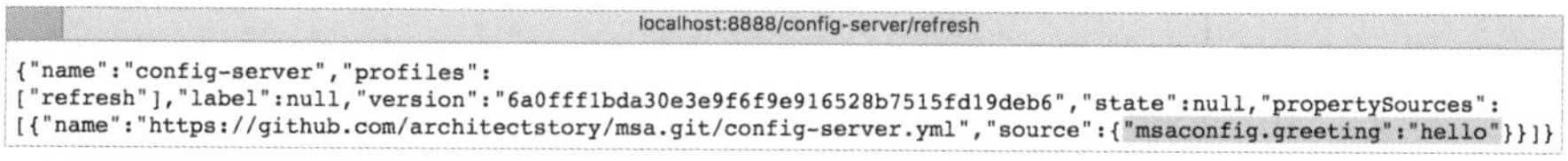

localhost:8888/config-server/refresh

{"name":"config-server","profiles":
["refresh"],"label":null,"version":"6a0fff1bda30e3e9f6f9e916528b7515fd19deb6","state":null,"propertySources":
[{"name":"https://github.com/architectstory/msa.git/config-server.yml","source":{"msaconfig.greeting":"hello"}}]}

그림 6.7 **config server applicaiton**

설정 서버를 구성하는 방법은 간단합니다. 스프링부트 애플리케이션을 생성하고 '@
EnableConfigServer' 어노테이션을 지정하고 기동하면 되는데, 이때 'application.yml'에
참조할 'Git URL' 정보를 등록만 하면 됩니다.

유레카 서버

유레카 서버(Eureka server)는 마이크로서비스의 등록과 삭제에 대한 상태 정보를 동
적으로 감지하는 역할을 수행합니다. 줄(Zuul), 터빈(Turbine) 등 마이크로서비스와 직
접 관련 있는 서비스들에게 아주 유용한 정보를 제공합니다. 유레카 서버는 단일 서버
(standalone server)로 독립적으로 구동하거나 복수 개의 서버로 다중화하여 구성할 수 있
습니다.

그림 6.8은 유레카 서버 설정 파일인 'application.yml' 파일의 설정값입니다. 유레카 서버는 마이크로서비스가 자신의 정보를 유레카 서버에 등록할 수 있게 서버 주소를 알려 주어야 합니다. 설정값 중 'default zone: http://localhost:9091/eureka/' 부분이 마이크로서비스가 참조하는 유레카 서버 주소입니다.

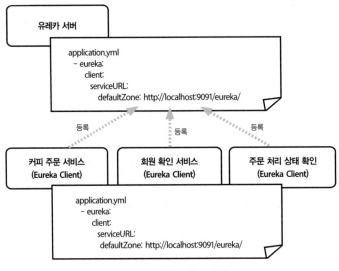

그림 6.8 **유레카 서버 설정**

마이크로서비스는 기동 시 자신의 상태 정보를 'defaultZone'에 선언된 유레카 서버에게 알려 줍니다. 그림 6.8은 유레카 서버를 단일 서버 형태로 설정할 때의 설정 파일입니다. 유레카 서버의 주소 정보는 마이크로서비스의 설정에도 포함되어 있어야 합니다.

그림 6.9는 유레카 서버의 설정 파일이며, 좀 더 자세히 알아보겠습니다.

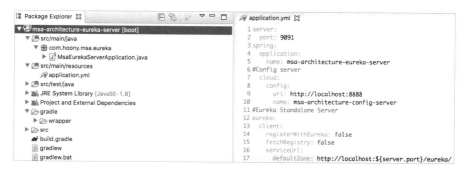

그림 6.9 **유레카 서버 application.yml**

유레카 서버가 사용하는 포트는 'server port'에서 설정합니다. 유레카 서버의 이름은 'spring application name'에서 설정합니다. 유레카 서버 인스턴스(instance)의 호스트명 (hostname)이 로컬호스트(localhost)이므로 로컬 서버(local server), 즉 PC 환경에서 실행됩니다. 유레카 서버는 지역(zone)을 구성할 수 있습니다. 기본적인 설정인 'defaultZone'을 설정하여 유레카 클라이언트가 접속할 주소 정보를 설정합니다. 유레카 클라이언트가 설치된 서비스들은 'defaultZone'에 설정된 주소로 자신의 상태를 보내 줍니다.

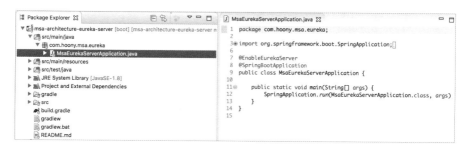

그림 6.10 **유레카 서버 애플리케이션**

유레카 서버 애플리케이션에서 '@EnableEurekaServer' 어노테이션을 등록하는 것만으로 간단하게 유레카 서버를 동작시킬 수 있습니다. 유레카 서버는 클라이언트들의 등록 상태를 확인 할 수 있는 별도의 웹 화면을 제공합니다.

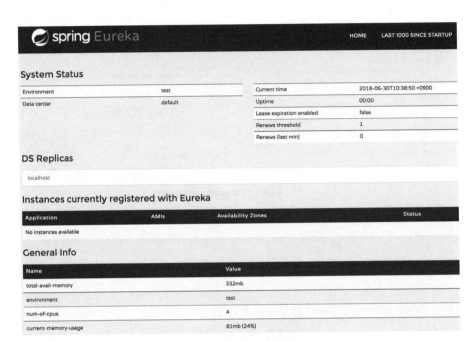

그림 6.11 **유레카 서버 웹 페이지**

마이크로서비스에서 '@EnableDiscoveryClient' 어노테이션 설정과 몇 가지 설정을 추가하고 기동하면 유레카 서버에 등록되고 웹 화면에서 확인할 수 있습니다.

줄 서버

줄 서버(Zuul server)는 부하 분산 설정과 서비스 라우팅 기능을 수행합니다. 부하 분산은 동일한 서비스가 여러 서버에 배포되어 있을 때 부하를 분산시켜 주는 기능이고, 서비스 라우팅은 줄 서버에서 설정한 콘텍스트 패스(context path)를 기준으로 마이크로서비스를 라우팅해 주는 역할을 합니다.

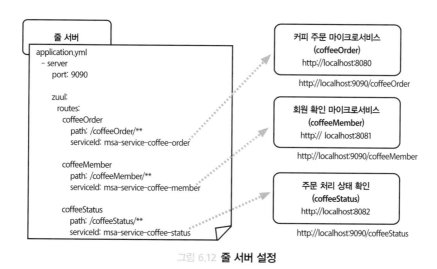

그림 6.12 **줄 서버 설정**

줄 서버도 설정 서버와 서비스 등록 감지 서버를 사용하기 위해 'application.yml' 파일에 사용 설정을 합니다.

줄 서버에서 라우팅 대상 서비스를 찾아가기 위해 콘텍스트 패스를 지정합니다. 그리고 지정된 콘텍스트 패스에는 마이크로서비스의 이름이 매핑되어 있습니다. 마이크로서비스의 이름은 유레카 서버에 등록되어 있고, 줄 서버는 유레카 서버에 등록된 마이크로서비스의 이름을 참조합니다. 외부로 노출된 줄 서버의 REST URL은 'http://localhost:9090/'이고, 만약 콘텍스트 경로를 '/coffeeOrder'로 요청하면 줄 서버 설정 값인 'path' 중 '/coffeeOrder'에 매핑되어 있는 마이크로서비스인 'msa-service-coffee-order' 즉, '커피 주문 마이크로서비스'로 연결됩니다.

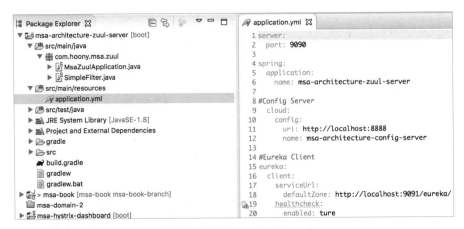

그림 6.13 **줄 서버 application.yml**

각 마이크로서비스의 물리적인 주소와 매핑되는 이름(spring:application:name)이 이미 유
레카 서버에 등록되어 있어 줄 서버에 라우팅 정보를 설정할 때는 마이크로서비스의 이
름을 이용하여 설정할 수 있습니다. 좀 더 구체적으로 설명하면 '커피 주문', '커피 회원',
'주문 처리 상태' 마이크로서비스는 각각 고유의 이름을 가집니다. 이 이름은 각 서비
스의 'application.yml'에서 정의하였고, 서비스가 기동될 때 유레카 서버에 등록됩니다.
줄 서버는 등록된 서비스의 이름을 이용하여 서비스 라우팅을 수행합니다.

그림 6.14 **줄 서버 application.yml**

줄 서버는 마이크로서비스의 'serviceId'를 이용하여 마이크로서비스로 클라이언트 요

청을 라우팅합니다. 줄 서버에서 참조하는 'serviceId'는 마이크로서비스의 'application. yml'에서 지정한 'spring:application:name'입니다. 마이크로서비스가 기동될 때 마이크로서비스의 애플리케이션 이름이 유레카 서버에 등록되고, 각 마이크로서비스에 설치된 유레카 클라이언트를 사용해서 유레카 서버에 등록된 각 마이크로서비스의 애플리케이션 이름을 참조할 수 있습니다.

줄 서버도 유레카 서버에 등록된 애플리케이션 이름을 참조하여 각 서비스로 라우팅하기 위한 콘텍스트 경로를 다르게 설정합니다. 콘텍스트 패스란, 애플리케이션을 구분하기 위한 경로입니다. 줄 서버에 '커피 전문점 서비스'를 위해 '/coffeeOrder/**', '/coffeeMember/**', '/coffeeStatus/**' 세 개의 마이크로서비스 애플리케이션의 콘텍스트 패스를 지정하였습니다.

예를 들어, 'http://<줄 서버 주소>/coffeeOrder/**'는 'msa-service-coffee-order', 'http://<줄 서버 주소/coffeeMember/**'는 'msa-service-coffee-member' 서비스로 연결됩니다.

'커피 주문' 마이크로서비스의 경우 주문을 처리하는 REST API는 '/coffeeOrder'이므로 만약 서비스 라우팅 기능을 적용하면 전체 URL은 'http://localhost:9090/coffeeOrder/coffeeOrder'가 됩니다. 'http://localhost:9090/coffeeOrder'가 '커피 주문' 마이크로서비스이고 '/coffeeOrder'는 '커피 주문' 마이크로서비스의 REST API 경로입니다.

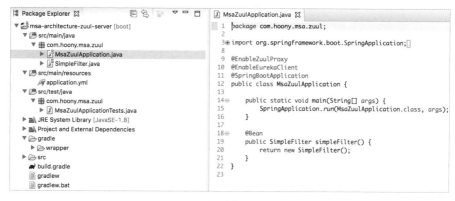

그림 6.15 **줄 서버 애플리케이션**

줄 서버 애플리케이션에서 '@EnableZuulProxy' 어노테이션을 등록하는 것만으로 간단하게 줄 서버를 동작시킬 수 있습니다

줄 서버까지 설정이 완료되면 라우팅 대상이 되는 '커피 주문', '회원 확인', '주문 처리 상태 확인' 마이크로서비스의 'application.yml'에 그림 6.16처럼 설정 서버와 유레카 클라이언트 설정을 합니다.

```
#Config Server
  cloud:
    config:
      uri: http://localhost:8888
      name: msa-architecture-config-server

#Eureka Client
eureka:
  client:
    serviceUrl:
      defaultZone: http://localhost:9091/eureka/
```

그림 6.16 **설정 서버와 유레카 클라이언트 설정**

설정 서버의 주소 정보와 유레카 서버의 주소 정보를 설정합니다. 마이크로서비스가 재기동되는 시점에 반영됩니다. 유레카 서버에서 마이크로서비스를 감지하기 위해서는 마이크로서비스 애플리케이션에 '@EnableEurekaClient' 어노테이션을 추가하면 됩니다.

```
package com.hoony.msa;

import org.springframework.boot.SpringApplication;

@EnableEurekaClient
@SpringBootApplication
public class MicroServiceApplication {
    public static void main(String[] args) {
        SpringApplication.run(MicroServiceApplication.class, args);
    }
}
```

그림 6.17 **유레카 클라이언트 어노테이션**

줄 서버와 관련된 기본적인 설정을 완료하였습니다. 정상적으로 설정이 완료되었는지 확인 테스트를 수행해 보면 결괏값이 그림 6.18처럼 정상적으로 서비스가 호출됨을 확인할 수 있습니다.

localhost:9090/coffeeMember/coffeeMember/v1.0/kevin
true

그림 6.18 **줄 서버 라우팅 테스트**

줄 서버의 URL을 이용하여 앞서 구현한 '회원 확인' 마이크로서비스로 라우팅되는 것을 확인할 수 있습니다. 'http://localhost:9090/coffeeMember'는 유레카 서버에 등록된 'serviceId'인 'msa-service-coffee-member'로 라우팅되어 '/coffeeMember/v1.0/kevin' REST API의 결괏값을 반환합니다. 즉, 'http://localhost:8081/coffeeMember/v1.0/kevin' REST API 주소를 가진 '회원 확인' 서비스를 호출한 것입니다.

앞서 구현한 마이크로서비스와 아키텍처 구현 부분에 대한 테스트는 이후에 상세하게 설명하겠습니다. 우선은 구조와 동작 원리만 이해하고 넘어가겠습니다.

터빈 서버

터빈 서버(Turbine server)는 마이크로서비스에 설치된 히스트릭스 클라이언트 스트림을 통합해 주는 기능을 제공합니다. 히스트릭스 클라이언트 스트림은 마이크로서비스에 설치된 히스트릭스 클라이언트에서 마이크로서비스로의 서비스 처리 요청에 대한 결괏값을 스트림으로 전달해 주는 역할을 하고, 마이크로서비스에 히스트릭스 스트림 메시지는 이후에 설명할 히스트릭스 커맨드 설정을 통해서 적용할 수 있습니다. 터빈 서버는 각 마이크로서비스에서 생성되는 히스트릭스 클라이언트의 스트림 메시지를 터빈 서버로 모두 수집하는 역할을 합니다.

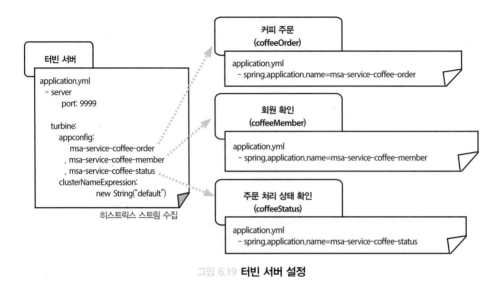

그림 6.19 **터빈 서버 설정**

터빈 서버의 'application.yml' 파일의 'appconfig' 속성에 세 개의 마이크로서비스 애플리케이션 이름을 등록하면 등록된 세 개의 애플리케이션에서 발생하는 히스트릭스 클라이언트 스트림 정보를 수집할 수 있습니다. 이렇게 수집된 스트림 정보는 터빈 스트림으로 제공합니다.

'http://localhost:9999/turbine.stream'을 조회하면 각각의 마이크로서비스에서 생성되는 스트림 정보를 한꺼번에 확인할 수 있습니다. 이렇게 수집된 스트림 정보는 히스트릭스 대시보드 웹 페이지를 통해서 확인할 수 있습니다. 그림 6.20은 터빈 서버 설정 파일의 예제입니다

```
application.yml ⊠
 1 server:
 2   port: 9999
 3
 4 spring:
 5   application:
 6     name: msa-architecture-turbine-server
 7
 8 #Config Server
 9   cloud:
10     config:
11       uri: http://localhost:8888
12       name: msa-architecture-config-server
13
14 #Eureka Client
15 eureka:
16   client:
17     serviceUrl:
18       defaultZone: http://localhost:9091/eureka/
19
20 #Turbine Server
21 turbine:
22   appConfig: msa-service-coffee-order,msa-service-coffee-member,msa-service-coffee-status
23   clusterNameExpression: new String("default")
24
```

그림 6.20 **터빈 서버 application.yml**

터빈 서버 'application.yml' 설정과 애플리케이션에서 '@EnableTurbine' 어노테이션을
등록하는 것만으로 간단하게 터빈 서버를 동작시킬 수 있습니다

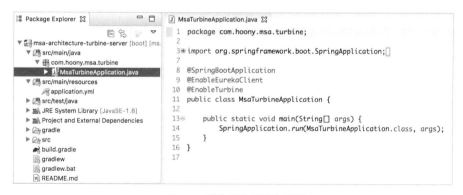

그림 6.21 **터빈 서버 애플리케이션**

터빈 서버에서 각 마이크로서비스에서 보내는 히스트릭스 스트림 메시지를 수집합니
다. 따라서 각 마이크로서비스에 스트림 메시지를 보내기 위한 히스트릭스 설정을 해줘
야 합니다.

```
MicroServiceApplication.java ⊠

 1   package com.hoony.msa;
 2
 3⊕ import org.springframework.boot.SpringApplication;□
 8
 9   @EnableFeignClients
10   @EnableCircuitBreaker
11   @EnableEurekaClient
12   @SpringBootApplication
13   public class MicroServiceApplication {
14⊖     public static void main(String[] args) {
15         SpringApplication.run(MicroServiceApplication.class, args);
16     }
17   }
19
```

```
CoffeeOrderRestController.java ⊠

28
29⊖      @HystrixCommand
30      @RequestMapping(value = "/coffeeOrder", method = RequestMethod.POST)
31      public ResponseEntity<CoffeeOrderCVO> coffeeOrder(@RequestBody CoffeeOrderCVO coffeeOrderCVO) {
32
33          //is member
34          if(iMsaServiceCoffeeMember.coffeeMember(coffeeOrderCVO.getCustomerName())) {
35              System.out.println(coffeeOrderCVO.getCustomerName() + " is a member!");
36          }
37
38          //coffee order
39          coffeeOrderServiceImpl.coffeeOrder(coffeeOrderCVO);
40
41          //kafka
42          kafkaProducer.send("hoony-kafka-test", coffeeOrderCVO);
43
44          return new ResponseEntity<CoffeeOrderCVO>(coffeeOrderCVO, HttpStatus.OK);
45      }
46   }
```

그림 6.22 **마이크로서비스 히스트릭스 설정**

각 마이크로서비스의 'application' 메인 클래스에 '@EnableCircuitBreaker' 어노테이션을 추가하고, 스트림 메시지를 보낼 REST API 함수에 '@HystrixCommand' 어노테이션을 추가합니다. '@HystrixCommand' 어노테이션이 붙은 REST API가 호출되면 해당 REST API 함수와 관련된 스트림 메시지를 터빈 서버가 수집해서 히스트릭스 대시보드에 전달하여 모니터링됩니다. '커피 주문', '회원 확인', '주문 처리 상태 확인' 마이크로서비스에 어노테이션 설정을 추가하여 모니터링이 가능하도록 설정합니다.

히스트릭스 대시보드 서버

히스트릭스 대시보드(Hystrix Dashboard)는 히스트릭스 클라이언트에서 생성하는 스트림을 시각화하여 웹 화면에 보여 주는 대시보드 화면입니다.

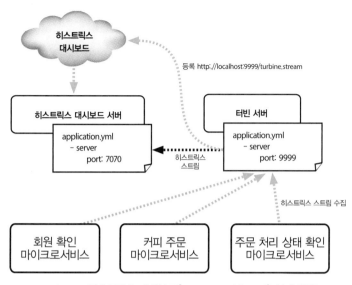

그림 6.23 **히스트릭스 대시보드(Hystrix Dashboard) 서버 설정**

히스트릭스 클라이언트가 설치된 마이크로서비스는 마이크로서비스 호출 시 생성되는 스트림 메시지를 터빈 서버에게 전송합니다. 마이크로서비스에 히스트릭스 클라이언트가 설치되면 'http://마이크로서비스IP:포트/hystrix.stream'으로 스트림 메시지를 보내고, 히스트릭스 대시보드에 등록하여 실시간으로 확인할 수 있습니다. 마이크로서비스의 개수가 많아지면 마이크로서비스 하나하나 상태를 확인하기 힘들기 때문에 터빈 서버를 이용하여 개별 히스트릭스 스트림을 한꺼번에 수집하는 기능으로 사용합니다. 히스트릭스 대시보드는 터빈 서버에 연결하여 일괄 취합된 스트림 메시지를 웹 화면을 통해 확인할 수 있습니다.

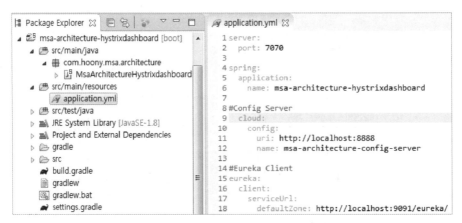

그림 6.24 **히스트릭스 대시보드 서버 application.yml**

히스트릭스 대시보드는 'application.yml' 설정 서버 정보와 유레카 서버 정보를 등록합니다.

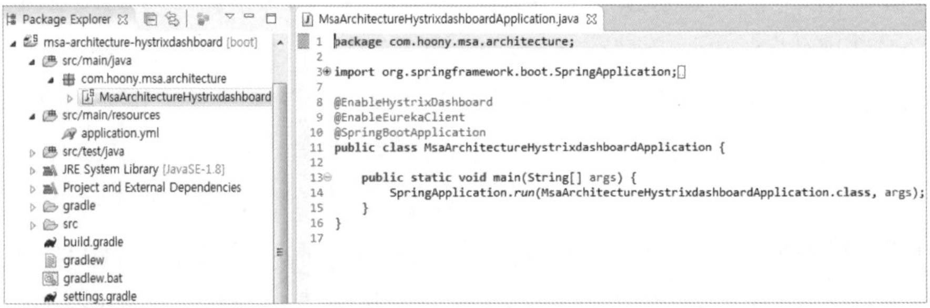

그림 6.25 **히스트릭스 대시보드 서버 애플리케이션**

'@EnableHystrixDashboard' 어노테이션을 이용하여 간단하게 설정할 수 있습니다. 히스트릭스 대시보드 웹 화면을 통해 마이크로서비스의 스트림 메시지를 확인할 수 있습니다. 스트림메시지를 취합하는 역할은 터빈 서버가 수행하므로 히스트릭스 대시보드 웹 화면에서 수신할 스트림 URL은 터빈 서버의 스트림 메시지 URL을 입력합니다.

히스트릭스 대시보드 서버 웹 페이지

터빈 서버의 스트림 메시지 URL인 'http://localhost:9999/trubine.stream'를 입력하고 'monitor stream'을 클릭하면 분산된 마이크로서비스의 서비스 응답 상태를 웹 화면을 통해서 실시간으로 확인할 수 있습니다.

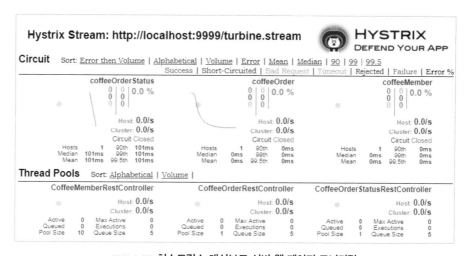

히스트릭스 대시보드 서버 웹 페이지 모니터링

그리고 시스템 동작 중인 서버와 마이크로서비스의 현황을 유레카 서버에서 제공하는
웹 화면을 통해 확인합니다.

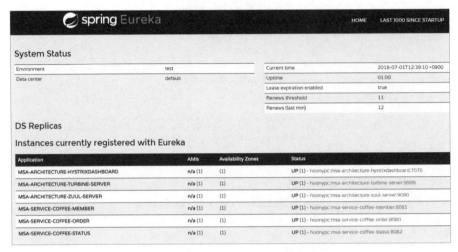

그림 6.28 **유레카 서버에 등록된 마이크로서비스**

히스트릭스 서킷 브레이커

히스트릭스 서킷 브레이커(Hystrix circuit breaker)는 API 함수가 비정상적으로 동작할 때
대체할 함수를 지정함으로써 장애를 회피할 수 있는 기능입니다.

그림 6.29 **히스트릭스 서킷 브레이커**

그림 6.29와 같이 서킷 브레이커 기능을 위해서 대상이 되는 REST API에 '@Hystrix
Command'에 'fallbackMethod'를 정의합니다. 해당 REST API 함수에 'Exception'

이 발생하면 서킷 브레이커 설정에 따라서 'fallbackMethod'에 정의된 함수가 기능을 대체하게 됩니다. 테스트를 위해 '회원 확인' 마이크로서비스에 임의의 REST API인 'fallbackTest' 함수에 'Exception'을 강제로 발생시키는 코드를 삽입하고, 'fallbackMethod'를 'fallbackFunction'으로 지정하였습니다.

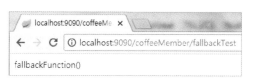

그림 6.30 **히스트릭스 서킷 브레이커 테스트**

브라우저에서 'http://localhost:8081/fallbackTest'를 호출하면 'fallbackFunction'이 대체 실행되는 결과를 확인할 수 있습니다. 또한, 히스트릭스 대시보드에서 서킷 브레이커로 처리된 API와 정상적으로 처리된 API의 상태를 구분하여 확인할 수 있습니다. 'fallbackTest' API의 경우 28건의 클라이언트 요청 메시지에 대해 'Short-Circuited' 처리되고, 'coffeeMember' API의 경우 18건의 클라이언트 요청 메시지를 처리하고 있는 것을 확인할 수 있습니다.

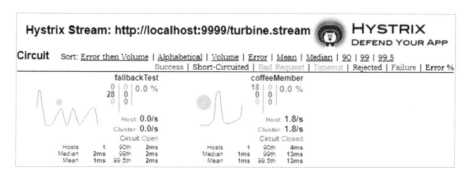

그림 6.31 **히스트릭스 서킷 브레이커 대시보드**

마이크로서비스 빌드 배포

7.1 마이크로서비스 빌드 단위

마이크로서비스의 빌드 단위는 깃 저장소(Git repository)에 올라가 있는 자바 프로젝트 (애플리케이션) 단위입니다. 마이크로서비스당 하나의 독립적 깃 주소가 할당되어 독립적 배포가 가능합니다. 그러나 조직과 시스템의 상황에 맞게 다양한 형태를 고려해야 합니다. 데브옵스 체계가 잘 갖춰진 조직에서는 세분화된 마이크로서비스의 운영에 대한 부담이 덜 할 수 있지만, 그렇지 않은 조직은 서비스 운영을 제대로 할 수 없을 것입니다.

마이크로서비스 빌드 단위를 소스 관리 측면에서 살펴보도록 하겠습니다. 앞서 설명한 대로 깃 주소 하나당 하나의 독립된 마이크로서비스를 관리하는 방법과 하나의 깃 주소에 여러 개의 마이크로서비스를 관리하는 방법에 대해서 알아보겠습니다.

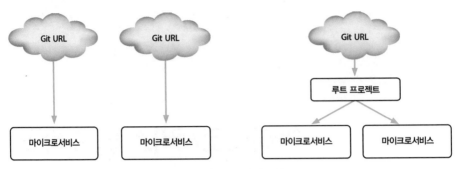

그림 7.1 **마이크로서비스 빌드**

독립 프로젝트

독립 프로젝트(single project)란, 마이크로서비스 하나가 하나의 독립된 자바 프로젝트로 구성된 것으로 정의하겠습니다. 하나의 마이크로서비스 자바 프로젝트 하위에 'shared', 'api', services:webservice' 등의 형태로 용도를 구분하여 자식 프로젝트를 만들 수도 있습니다. 자식 프로젝트는 부모 프로젝트가 빌드될 때 부모(루트) 프로젝트와 합쳐져서 하나의 패키징된 형태의 실행 파일이 만들어집니다. 결국 결과물은 실행 가능한 묶음 파일('.jar', '.war' 혹은 '도커 이미지') 형태가 됩니다.

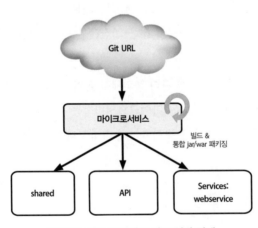

그림 7.2 **독립 프로젝트 빌드 연관 관계**

빌드가 수행될 때 하위의 'shared', 'api', 'services:webservice' 프로젝트가 함께 빌드되어

패키징됩니다.

복수 프로젝트

복수 프로젝트(multi project)는 하나의 깃 주소를 가진 자바 프로젝트 하위에 다시 다수의 프로젝트를 가지는 구조입니다. 앞서 설명한 독립 프로젝트에서의 자식 프로젝트와 구조는 같지만 용도가 다릅니다. 앞서 독립 프로젝트에서 자식 프로젝트의 역할은 소스 활용 유형의 세부적인 분류이지만, 복수 프로젝트의 자식 프로젝트는 독립적으로 배포할 수 있는 마이크로서비스가 됩니다. 한 가지 유의해야 할 것은 복수 프로젝트에서 특정 자식 프로젝트 하나를 빌드하면 자신을 포함하고 있는 부모 프로젝트에 포함된 프로젝트도 빌드를 위해 같이 내려 받게 됩니다. 즉, 나와 동일 레벨에 있는 다른 자식 프로젝트의 소스도 모두 내려 받는다는 것입니다. 예를 들어, '서비스1'의 빌드를 위해서 '서비스2'와 '서비스3'의 소스까지 모두 내려 받습니다.

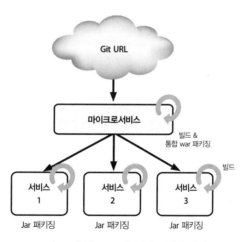

그림 7.3 **복수 프로젝트 빌드 연관 관계**

자식 프로젝트 단위로 개별적으로 빌드를 수행하여 실행 가능한 'jar' 파일 형태로 패키징할 수도 있고, 부모 프로젝트를 빌드하여 자식 프로젝트들을 모두 포함한 'war' 형태의 파일로 패키징할 수도 있습니다. 프로젝트 상황에 맞는 빌드 환경을 구성하는 것이 중요합니다.

7.2 마이크로서비스 배포 형태

마이크로서비스를 이야기할 때는 일반적으로 클라우드 네이티브 환경이라는 전제하에 이야기합니다. 하지만 현실적으로는 그렇지 않은 기업이 대부분입니다. 이미 하드웨어 장비는 구매해서 사용하고 있고, 지금 당장은 클라우드 환경으로 전환할 수 없는 상황입니다. 그럼, 이런 경우는 "어떻게 마이크로서비스 아키텍처를 구축할 것인가?"라는 숙제가 남습니다. 클라우드 환경에서는 도커라는 아주 편리한 도구가 문제를 해결해 줍니다. 하지만 그렇지 않은 환경에서는 불가피하게 도커 기술이 등장하기 이전에 주로 사용하던 'jar'나 'war' 방식으로 배포해야 합니다. 그러나 앞으로의 확장성을 위해 마이크로서비스 아키텍처를 테일러링하여 사용할 수 있습니다.

도커 기반이 아닌 일반적인 서버 환경에서는 'jar'나 'war' 형태로 서비스를 배포할 것이고, 도커 환경에서는 도커 이미지로 배포합니다. 마이크로서비스 배포를 위해서 두 가지 형태의 빌드 패키징 방법을 알아보겠습니다

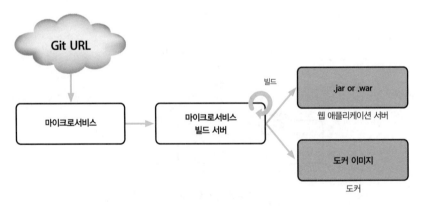

그림 7.4 **마이크로서비스 배포 형태**

소스를 빌드하여 실행 가능한 압축 파일인 '.jar'나 '.war'로 배포하는 방식이고, 나머지 하나는 도커 이미지(docker image)로 만드는 방식입니다.

실행 가능한 압축 파일

'jar'와 'war'는 자바 프로그램들을 실행 가능한 압축 파일로 만들어 놓은 압축 파일입니다. 'jar' 배포란, 마이크로서비스 단위로 'jar'를 만들어 배포하는 방식이고, 'war'는 'war' 단위로 웹 애플리케이션 디렉터리에 배포하는 방식입니다. 일반적으로 'jar'는 JVM(Java Virtual Machine)이 설치된 OS(Operating System) 서버에서 'java –jar <jar명>' 형태의 명령어로 실행합니다.

'war'는 웹 애플리케이션 서버에서 지정한 웹 애플리케이션 디렉터리에 'war'를 배치하면 웹 애플리케이션 서버가 자동으로 인지하여 실행합니다.

'jar'를 관리할 도구를 갖추었다면 별문제가 없겠지만, 그렇지 않다면 분명 많은 수의 서비스를 관리한다는 것은 쉬운 일이 아닙니다. 만일 웹 애플리케이션 서버의 수평적 확장이 용이하지 않은 상황에서 서비스를 운영해야 하는 상황이라면 웹 애플리케이션 서버 내에 인스턴스(instance) 개수도 고려해야 합니다. 그리고 경우에 따라서는 여러 개의 마이크로서비스를 하나의 'war'로 배포하여야 할 것입니다. 이런 경우 다수의 마이크로서비스를 그룹으로 묶어 배포할 수 있습니다.

도커 이미지

도커 이미지(docker image)는 도커 컨테이너를 생성하기 위한 원천 소스입니다. 도커 환경에서는 도커 컨테이너 단위로 서비스할 수 있고, 따라서 마이크로서비스를 도커 이미지로 만들고 실행하면 도커 컨테이너 단위로 마이크로서비스를 실행할 수 있습니다.

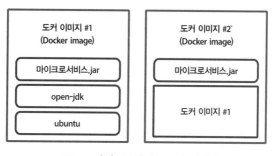

그림 7.5 **마이크로서비스 도커 이미지**

도커 이미지는 필요한 라이브러리나 실행 파일, 소프트웨어 등을 탑재하여 새로운 이미지로 만들 수 있고, 이미 생성된 이미지에 필요한 소프트웨어만 추가하여 변경된 이미지를 만들 수도 있습니다. 이미지 형태로 마이크로서비스를 생성해 둔다면 필요한 시점에 컨테이너로 생성하여 실행할 수 있습니다.

소스 저장소로부터 소스를 내려받아 빌드를 수행하고 나면 'jar'나 'war' 형태의 실행 가능한 압축 파일이 만들어집니다. 이렇게 만들어진 'jar'나 'war'를 포함하는 도커 이미지로 만들어 도커 컨테이너로 실행하는 원리입니다. 도커에서 이미지를 생성하기 위한 일련의 과정은 'Dockerfile'을 작성하고 빌드하여 한꺼번에 처리할 수 있습니다.

마이크로서비스를 빌드하는 방법은 다양합니다. 그중 일반적으로 많이 사용하는 젠킨스(Jenkins) 빌드 도구를 이용하여 'jar', 'war' 형태와 도커 이미지를 빌드하는 방법을 알아보겠습니다. 라이브러리 의존성 관리 도구는 'gradle'을 사용합니다.

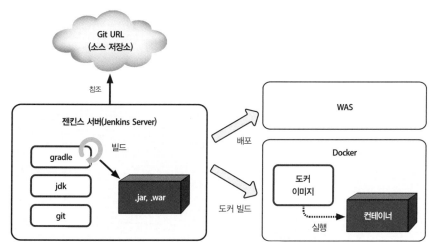

그림 7.6 **젠킨스를 이용한 빌드 및 배포**

기본적으로 빌드 시 이용되는 소스 파일은 소스 저장소에 저장되어 있고, 젠킨스 서버에서 소스 저장소를 참조하도록 설정합니다. 젠킨스 서버는 다양한 빌드 도구를 플러그인(plug-in) 형태로 다운받아 설치할 수 있고, 일반적으로 많이 사용하는 의존성 관리 도구로는 'gradle'과 'maven'이 있습니다. 젠킨스 서버에서 소스 코드 빌드는 젠킨스 서버에서 제공하는 기능을 젠킨스 웹 화면을 통해서 이용하거나 빌드 스크립트를 직접 작성해서 젠킨스 서버에 작업으로 등록하여 빌드 작업을 수행할 수 있습니다. 빌드 후 결과 파일은 실행 가능한 압축 파일 형태인 'jar'나 'war'로 만들어 WAS(Web Application Server)에 직접 배포하거나 도커 빌드를 이용하여 도커 이미지 형태로 배포할 수 있습니다.

'jar' 빌드 및 패키징

젠킨스 관리 메뉴 중 'Global Tool Configuration' 화면에서 'JDK', 'Git', 'Gradle'을 설정해 줍니다.

그림 7.7은 젠킨스 서버 설정 예입니다.

그림 7.7 **jenkins global setting**

로컬 PC에 'JDK', 'Git', 'Gradle'이 설치되어 있지 않으면 먼저 설치한 후 설정을 할 수도 있고, 'install automatically' 체크 박스를 체크하여 설치할 수도 있습니다. 이렇게 함으로써 젠킨스 서버와 연동될 도구들을 연결하였습니다. 다음은 마이크로서비스를 빌드하기 위한 개발 프로젝트 빌드 설정을 하겠습니다.

젠킨스 화면에서 '새로운 item' 생성 메뉴에서 'Freestyle project' 유형으로 'msa-service-coffee-order jar'라는 이름으로 작업(job)을 하나 만들어 빌드를 위한 작업을 생성합니다. 이후 'msa-service-coffee-order' 마이크로서비스의 소스 저장소와 연결하기 위한 깃 설정과 소스 빌드를 위한 그래들 명령어를 설정합니다.

그림 7.8 **jenkins git**

'소스 코드 관리'에서 'Git' 주소를 선택하고, 'https://github.com/architectstory/msa-book.git'를 입력합니다. 해당 주소에는 세 개의 마이크로서비스가 있습니다. 이 중 'msa-service-coffee-order' 마이크로서비스만 테스트해 보겠습니다.

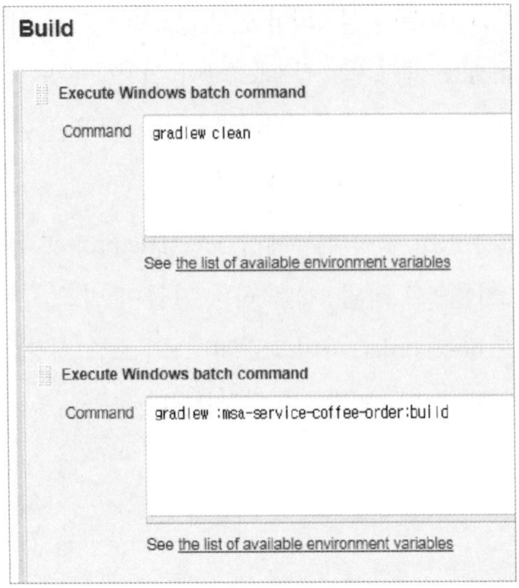

그림 7.9 **jenkins build config**

'Build'에서 'Add build step'을 선택하여 'Execute Windows batch command' 혹은 'Execute shell'을 테스트하려는 PC 혹은 서버의 운영체제(OS) 환경에 맞게 선택합니다.

젠킨스 작업 공간에서 빌드 내역을 지우는 'grdlew clean'이라는 그래들(gradle) 명령어를 등록합니다. 그리고 같은 방법으로 'Add build step'을 하나 더 추가하여 복수 개의 마이크로서비스 중 'msa-service-coffee-order' 마이크로서비스만 빌드하기 위한 'gradlew :msa-service-coffee-order:build' 명령어를 입력하고 저장합니다. 빌드를 수행하면 그림 7.10처럼 실행 결과를 확인할 수 있습니다.

```
C:\Users\hoony\.jenkins\workspace\msa-service-coffee-order jar>gradlew clean
:clean
:msa-service-coffee-member:clean UP-TO-DATE
:msa-service-coffee-order:clean
:msa-service-coffee-status:clean UP-TO-DATE

BUILD SUCCESSFUL

Total time: 5.575 secs
[msa-service-coffee-order jar] $ cmd /c call
C:\Users\hoony\AppData\Local\Temp\jenkins8030430079431551160.bat

C:\Users\hoony\.jenkins\workspace\msa-service-coffee-order jar>gradlew :msa-service-coffee-
order:build
:msa-service-coffee-order:compileJava
:msa-service-coffee-order:processResources
:msa-service-coffee-order:classes
:msa-service-coffee-order:findMainClass
:msa-service-coffee-order:jar
:msa-service-coffee-order:bootRepackage
:msa-service-coffee-order:assemble
:msa-service-coffee-order:compileTestJava NO-SOURCE
:msa-service-coffee-order:processTestResources NO-SOURCE
:msa-service-coffee-order:testClasses UP-TO-DATE
:msa-service-coffee-order:test NO-SOURCE
:msa-service-coffee-order:check UP-TO-DATE
:msa-service-coffee-order:build

BUILD SUCCESSFUL

Total time: 1 mins 2.118 secs
Finished: SUCCESS
```

그림 7.10 **jenkins success**

만약 빌드에 실패한다면 에러 로그(error log)가 출력될 것이고, 에러 로그를 해석하여 문제를 해결하면 됩니다. 빌드가 성공적으로 이루어지면 젠킨스 빌드 디렉터리에 빌드 결과 파일인 실행 가능한 '.jar'가 생성됩니다. 젠킨스의 빌드 디렉터리는 사용자 홈 디렉터리 아래에 젠킨스 작업명과 같은 이름으로 만들어집니다. 'C:\Users\<사용자명>\.jenkins\workspace\msa-service-coffee-order jar\msa-service-coffee-order\build\libs\msa-service-coffee-order-0.0.1-SNAPSHOT.jar'가 생성되었음을 확인할 수 있습니다.

그림 7.11 **jenkins build jar**

그림 7.11은 '윈도우 7 운영체제'에 젠킨스를 설치하여 테스트해 보았습니다. 해당 경로로 이동하여 'java –jar msa-service-coffee-order-0.0.1-SNAPSHOT.jar'로 실행시켜 봅니다.

그림 7.12 **jenkins build jar execute**

정상적으로 마이크로서비스가 기동되는 것을 확인할 수 있습니다.

'war' 빌드 및 패키징

'Web Archive' 파일인 'war' 빌드, 패키징을 알아보겠습니다. 'war'는 일반적으로 웹 애플리케이션 서버(WAS, Web Application Server)에서 실행됩니다. 'war'를 웹 애플리케이션 서버의 애플리케이션 디렉터리에 배치하면 서버가 자동으로 인지하여 압축된 파일을 해제합니다. 서버 재기동 시점에 'war'가 압축 해제된 형태로 애플리케이션이 실행됩니다. 그런데 'war' 형태로 웹 애플리케이션 서버에서 동작하려면 'war' 파일은 웹 애플리케이션에서 자동으로 인지하고 웹 클라이언트의 요청에 응답할 수 있는 형태의 자바 프로그램으로 만들어져야 합니다. 이러한 자바 프로그램 형태를 서블릿(servlet)이라고 합니다. 예제에서는 스프링부트를 사용하므로 스프링부트에서 제공하는 'SpringBootServletInitializer' 클래스를 상속받아서 별도의 메인 클래스를 만들고, '@SpringBootApplication'을 지정하면 됩니다.

세 개의 자식 프로젝트(커피 주문, 회원 확인, 주문 처리 상태 확인)를 모두 포함하는 루트 프로젝트를 'war' 형태로 빌드해 보겠습니다.

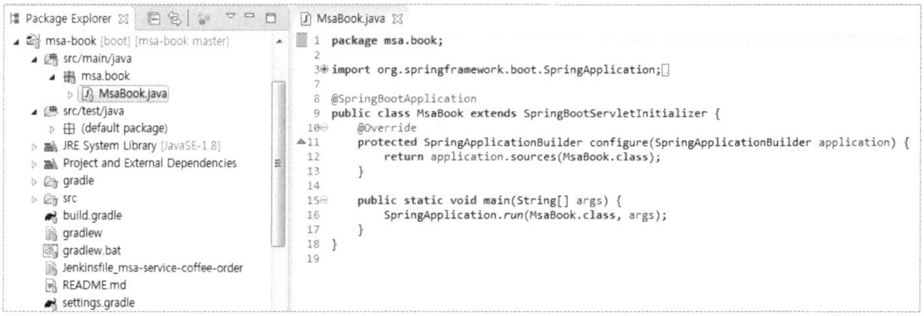

```
Package Explorer 23                    MsaBook.java 23
msa-book [boot] [msa-book master]     1  package msa.book;
  src/main/java                        2
    msa.book                          3⊕ import org.springframework.boot.SpringApplication;⬚
      MsaBook.java                      7
  src/test/java                        8  @SpringBootApplication
    (default package)                  9  public class MsaBook extends SpringBootServletInitializer {
  JRE System Library [JavaSE-1.8]     10⊕    @Override
  Project and External Dependencies   11    protected SpringApplicationBuilder configure(SpringApplicationBuilder application) {
  gradle                              12        return application.sources(MsaBook.class);
  src                                 13    }
  build.gradle                        14
  gradlew                             15⊝    public static void main(String[] args) {
  gradlew.bat                         16        SpringApplication.run(MsaBook.class, args);
  Jenkinsfile_msa-service-coffee-order 17    }
  README.md                           18  }
  settings.gradle                     19
```

그림 7.13 **root application main**

스프링부트 기반 서블릿을 만들기 위해 'SpringBootServletInitializer' 클래스를 상속받은 'MsaBook' 클래스를 새로 하나 만들었고, 부모 클래스 'SpringBootServletInitializer'를 '@override'하여 재정의하였습니다.

루트 프로젝트의 그래들을 설정합니다. 'apply plugin: war'로 'war' 빌드를 위한 플러그인(plug-in)을 추가하고, 자식 프로젝트를 포함하기 위해 'compile project(…)'를 설정합니다.

```
build.gradle 23
 1 apply plugin: 'java-library'
 2 apply plugin: 'war'
 3 war {
 4     baseName = 'msa-book'
 5 }
 6
 7 repositories {
 8     jcenter()
 9 }
10
11 dependencies {
12
13     api 'org.apache.commons:commons-math3:3.6.1'
14
15     implementation 'com.google.guava:guava:23.0'
16
17     testImplementation 'junit:junit:4.12'
18
19
20     providedRuntime('org.springframework.boot:spring-boot-starter-tomcat:2.0.3.RELEASE')
21
22     compile project(':msa-service-coffee-order')
23     compile project(':msa-service-coffee-member')
24     compile project(':msa-service-coffee-status')
25
26 }
```

그림 7.14 **root application gradle**

그림 7.14의 몇 가지 설정을 확인해 보면 먼저 'war' 이름은 'msa-book'로 지정하였습니다. 빌드가 성공하면 'msa-book.war'라는 이름의 실행 가능한 압축 파일이 만들어질 것입니다. 그리고 'dependencies' 설정을 하여 빌드 시 참조할 라이브러리와 자식 프로젝트들을 명시적으로 지정하였습니다. 빌드를 위한 설정 파일 설정을 마쳤으면 젠킨스 화면에서 새로운 작업을 만들어서 그림 7.15에서처럼 빌드 스크립트를 작성합니다.

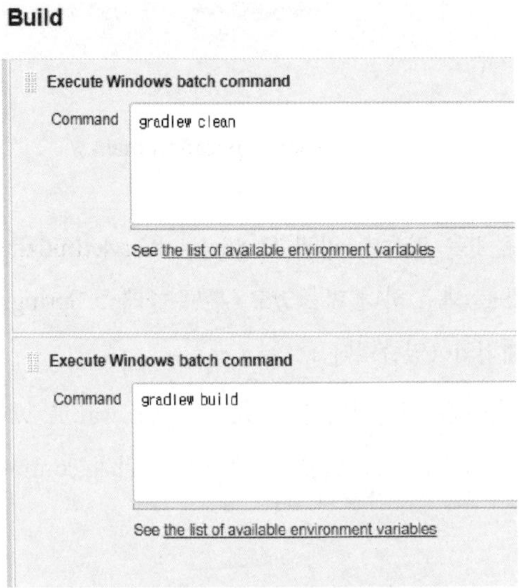

Build

Execute Windows batch command

Command `gradlew clean`

See the list of available environment variables

Execute Windows batch command

Command `gradlew build`

See the list of available environment variables

그림 7.15 **jenkins build war config**

젠킨스 빌드 도구에서 'gradlew clean'과 'gradlew build' 명령어를 추가하여 빌드 실행을 위한 설정을 합니다. 이렇게 설정된 젠킨스 작업을 실행하면 그림 7.16과 같은 실행 결과를 확인할 수 있습니다.

콘솔 출력

```
Started by user jenkins
Building in workspace C:₩Users₩hoony₩.jenkins₩workspace₩msa-service-coffee-order war
Fetching changes from the remote Git repository
Checking out Revision 89d792978ae7af12cbf73033918cd934d91f9f0b (refs/remotes/origin/master)
Commit message: "commit"
[msa-service-coffee-order war] $ cmd /c call C:₩Users₩hoony₩AppData₩Local₩Temp₩jenkins3972890784235959276.bat

C:₩Users₩hoony₩.jenkins₩workspace₩msa-service-coffee-order war>gradlew clean
:clean
:msa-service-coffee-member:clean
:msa-service-coffee-order:clean
:msa-service-coffee-status:clean

BUILD SUCCESSFUL

Total time: 7.428 secs
[msa-service-coffee-order war] $ cmd /c call C:₩Users₩hoony₩AppData₩Local₩Temp₩jenkins4206985783102787171.bat

C:₩Users₩hoony₩.jenkins₩workspace₩msa-service-coffee-order war>gradlew build
:msa-service-coffee-member:compileJava
:msa-service-coffee-member:processResources
:msa-service-coffee-member:classes
:msa-service-coffee-member:jar
:msa-service-coffee-order:compileJava
:msa-service-coffee-order:processResources
:msa-service-coffee-order:classes
:msa-service-coffee-order:jar
:msa-service-coffee-status:compileJava
:msa-service-coffee-status:processResources
:msa-service-coffee-status:classes
:msa-service-coffee-status:jar
:compileJava
```

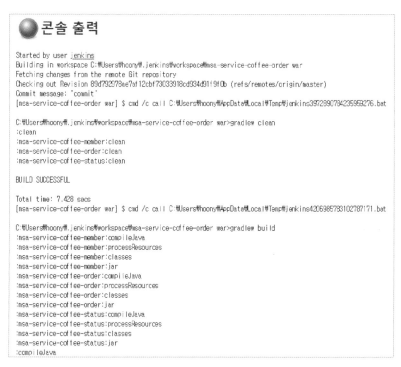

그림 7.16 **jenkins build war execute**

빌드 수행 과정의 로그가 출력되며 빌드 시 문제가 발생하면 에러 로그가 출력됩니다. 빌드가 성공적으로 수행될 경우 젠킨스의 빌드 수행 결과 파일이 위치한 디렉터리로 이동해 보면 그림 7.17과 같이 'war' 형태의 파일이 생성된 것을 확인할 수 있습니다.

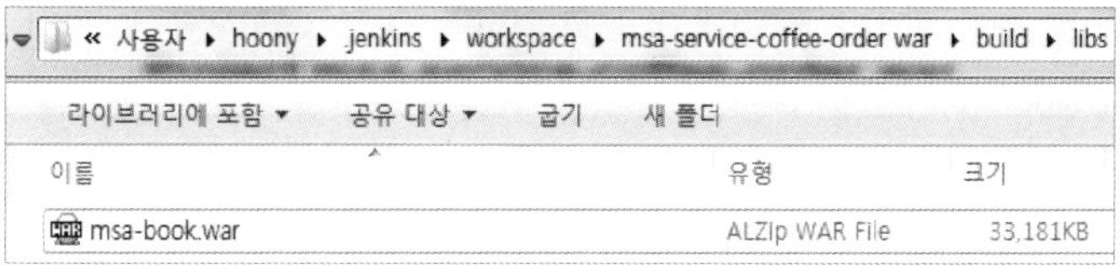

그림 7.17 **jenkins build war**

이렇게 생성된 'war' 파일은 웹 애플리케이션 서버의 애플리케이션 디렉터리에 두면 자동으로 인식됩니다. 'msa-book.war'는 세 개의 마이크로서비스가 하나로 합쳐진 파일입니다. 만약 'jar'처럼 각 독립된 마이크로서비스 실행 파일을 만들고 싶다면 마이크로서비스 단위로 자바프로젝트를 분리하여 각 프로젝트별로 깃 저장소에 소스를 등록하여 빌드를 실행하면 됩니다.

도커 이미지 빌드 및 패키징

도커 이미지는 도커 컨테이너를 실행하기 위한 원천 소스입니다. 마이크로서비스를 도커 이미지로 만들어서 컨테이너 단위로 실행할 수 있습니다.

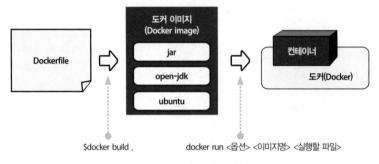

그림 7.18 **도커 이미지 생성**

도커 이미지 생성은 'Dockerfile'을 이용하여 작성합니다. 'Dockerfile'에 도커 이미지에 포함될 소프트웨어나 라이브러리 등을 기술하고, 'docker build .' 명령어를 수행하면 도커는 'Dockerfile'에 명시된 명령어를 해석하여 실행하고, 최종적으로 도커 이미지를 만들어 냅니다. 이렇게 만들어진 도커 이미지를 'docker run <옵션> <이미지명> <실행할 파일>' 명령어를 이용하여 컨테이너로 실행합니다. 만약 도커 이미지 내에 'jar'에 대한 수정이 필요하면 기존 도커 이미지에 변경할 부분만 변경하여 다시 새로운 이미지를 만들 수 있습니다.

'Dockerfile'을 이용하여 도커 이미지를 만드는 과정을 알아보겠습니다.

```
ubuntu@ip-172-31-13-243:~/msa-boook$ ls
Dockerfile  msa-book.war
ubuntu@ip-172-31-13-243:~/msa-boook$ cat Dockerfile
FROM tomcat:8.5.15
COPY msa-book.war /usr/local/tomcat/webapps/  |도커 스크립트
EXPOSE 9080
ubuntu@ip-172-31-13-243:~/msa-boook$ sudo docker build --tag msa-book:0.1 .  도커 빌드 명령어
Sending build context to Docker daemon   2.56kB
Step 1/3 : FROM tomcat:8.5.15
 ---> b8dfe9ade316
Step 2/3 : COPY msa-book.war /usr/local/tomcat/webapps/
 ---> dd5bd14b626b
Removing intermediate container 22a8123fc86c
Step 3/3 : EXPOSE 9080                                     도커 빌드 스텝
 ---> Running in 09056755c3ad
 ---> 7ea7b65b9b76
Removing intermediate container 09056755c3ad
Successfully built 7ea7b65b9b76
Successfully tagged msa-book:0.1
ubuntu@ip-172-31-13-243:~/msa-boook$ sudo docker images  도커 이미지 조회
REPOSITORY            TAG              IMAGE ID          CREATED          SIZE
msa-book              0.1              7ea7b65b9b76      10 seconds ago   334MB
```

그림 7.19 **도커 이미지 생성하기**

그림 7.19는 도커 이미지를 생성하는 과정을 캡처한 화면입니다. 처음 실행한 명령어부터 차례대로 알아보도록 하겠습니다. 먼저, 도커 이미지 파일을 생성하기 위해 스크립트가 포함된 'Dockerfile'과 실행 가능한 압축 파일인 'msa-book.war' 파일을 준비합니다. 도커 스크립트 파일인 'Dockerfile' 내부를 살펴보면 'tomcat:8.5.15'를 기반으로 'tomcat' 웹 애플리케이션 서버를 설치하고 'COPY' 명령어를 이용하여 'msa-book.war' 파일을 설치될 'tomcat' 웹 애플리케이션 서버의 '/usr/local/tomcat/webapps/' 디렉터리 아래로 복사합니다. 그리고 컨테이너로 실행되었을 때 외부에서 접근할 수 있도록 'EXPOSE' 명령어를 이용하여 '9080' 포트를 노출하였습니다. 이렇게 작성된 스크립트 파일은 도커 빌드 명령어 이용하여 이미지로 만들 수 있습니다.

sudo docker buill --tag msa-book:0.1 .

명령어를 실행하여 현재(.) 디렉터리에 있는 'Dockerfile'을 '0.1' 태그(tag)를 부여한 이미지로 빌드합니다. 'Dockerfile'에 설정된 세 개의 작업 절차(step)가 성공적으로 완료되면

sudo docker images

명령어로 만들어진 이미지를 확인할 수 있습니다.

그림 7.19에서 만들어진 도커 이미지인 'msa-book:0.1'을 그림 7.20과 같이 'msa-book-container'란 이름의 실행 가능한 컨테이너로 생성합니다.

```
ubuntu@ip-172-31-13-243:~/msa-book$ sudo docker run -i -t --name msa-book-container msa-book:0.1 /bin/bash
root@f8848cf52bf1:/usr/local/tomcat# cd webapps/                                    도커 컨테이너 생성
root@f8848cf52bf1:/usr/local/tomcat/webapps# ls
ROOT  docs  examples  host-manager  manager  msa-book.war  ⎫ 생성된 도커 컨테이너 내부
root@f8848cf52bf1:/usr/local/tomcat/webapps# exit            ⎭
exit
ubuntu@ip-172-31-13-243:~/msa-book$ sudo docker ps -a  도커 컨테이너 목록 조회
CONTAINER ID   IMAGE          COMMAND           CREATED         STATUS
f8848cf52bf1   msa-book:0.1   "/bin/bash"       24 seconds ago  Exited (0) 6 secon
```

그림 7.20 **도커 컨테이너 생성하기**

'docker run' 명령어를 이용하여 도커 이미지를 이용해 도커 컨테이너를 생성합니다. 'docker run' 명령어를 수행할 때 명령어 옵션인 '-i -t' 옵션으로 생성된 컨테이너 내부로 이동시킬 수 있습니다.

> sudo docker run -i -t msg-book-container msa-book:0.1 /bin/bash

를 해석해 보면 'msa-book:0.1' 도커 이미지를 'docker run' 명령어로 실행하여 컨테이너로 만들고 '-i -t' 옵션 명령어를 이용하여 생성된 도커 컨테이너 내부로 접속한다는 의미입니다. 이때 사용하는   은 '/bin/bash'가 됩니다.

컨테이너 내부에 '/usr/local/tomcat/webapps' 디렉터리 아래로 이동해 보면 'msa-book. war'가 생성되었음을 확인할 수 있습니다. 'exit' 명령어로 컨테이너를 빠져 나와서

> sudo docker ps -a

컨테이너 목록을 조회해 보면 'msa-book-container'라는 이름으로 컨테이너가 생성되었음을 확인할 수 있습니다.

커피 전문점 서비스 요약 및 실행

이번 장에서는 1~7장의 내용을 간략하게 요약하고, '커피 전문점 서비스'를 실행한 다음 결과를 확인해 보겠습니다.

A.1 커피 전문점 서비스 개요

커피 전문점 서비스 개념도

'커피 전문점 서비스'는 커피 주문, 회원 확인, 상태 조회 프로세스를 가지는 일반적인 커피 전문점의 서비스입니다.

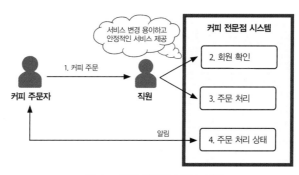

그림 A.1 **커피 전문점 서비스 흐름**

커피 전문점 서비스 시스템 구성도 및 구성 요소

3개의 마이크로서비스와 6개의 에코시스템으로 구성되어 있습니다.

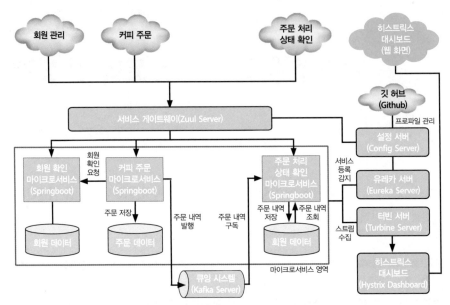

그림 A.2 **커피 전문점 마이크로서비스 시스템 구성도**

표 A.1 커피 전문점 마이크로서비스 시스템 구성 요소

구분	서버	설명
큐잉 시스템 (Queuing System)	주키퍼 서버(Zookeeper Sever)	카프카 서버 코디네이션(coordination)
	카프카 서버(Kafka Server)	메시지 발행 및 구독, 메시지 관리
설정	설정 서버(Config Server)	마이크로서비스 프로파일 정보 관리
서비스 등록 감지	유레카 서버(Eureka Server)	마이크로서비스 등록 및 감지
마이크로서비스 (Microservice)	커피 주문	회원명 확인 요청 커피 주문 정보 저장 커피 주문 내역 메시지 발행
	회원 확인	회원명 확인
	주문 처리 상태 확인	커피 주문 내역 수신 커피 주문 내역 저장
서비스 게이트웨이 (Service Gateway)	줄 서버(Zuul Server)	로드 밸런싱(Load Balancing) 서비스 라우팅(Service Routing)
스트림 수집	터빈 서버(Turbine Server)	스트림(stream) 수집
스트림 대시보드	히스트릭스 대시보드(Hystrix Dashboar)	스트림 대시보드

A.2 커피 전문점 서비스 및 에코시스템 기동

마이크로서비스와 에코시스템의 기동을 위해서 그림 A.3의 순서대로 시스템을 기동합니다.

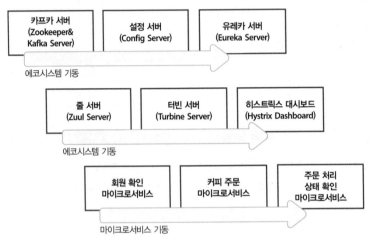

그림 A.3 **커피 전문점 마이크로서비스 및 에코시스템 기동**

설정 서버와 유레카 서버를 먼저 기동한 후에 기타 서버들을 기동해야 정상적으로 동작합니다.

기타 에코시스템 및 마이크로서비스는 설정 서버와 유레카 서버에 등록된 정보를 참조하기 때문입니다.

에코시스템 기동

주키퍼 서버 기동

카프카 서버의 분산 환경 관리서버인 주키퍼 서버를 먼저 실행하고, 정상 기동 여부를 확인합니다.

```
parkui-MacBook-Pro:kafka parkkevin$ ls
kafka_2.12-1.1.0          kafka_start.sh          zookeeper_start.sh
parkui-MacBook-Pro:kafka parkkevin$ cat zookeeper_start.sh
sh kafka_2.12-1.1.0/bin/zookeeper-server-start.sh kafka_2.12-1.1.0/config/zookeeper.properties
```

그림 A.4 **주키퍼 서버 실행**

```
[2018-09-04 23:22:20,135] INFO Server environment:java.io.tmpdir=/var/folders/km/ml5_94kd31v6srpsq6j0_k380000gn/T/ (org.apache.zookeeper.server.ZooKeeperServer)
[2018-09-04 23:22:20,135] INFO Server environment:java.compiler=<NA> (org.apache.zookeeper.server.ZooKeeperServer)
[2018-09-04 23:22:20,135] INFO Server environment:os.name=Mac OS X (org.apache.zookeeper.server.ZooKeeperServer)
[2018-09-04 23:22:20,135] INFO Server environment:os.arch=x86_64 (org.apache.zookeeper.server.ZooKeeperServer)
[2018-09-04 23:22:20,135] INFO Server environment:os.version=10.13.6 (org.apache.zookeeper.server.ZooKeeperServer)
[2018-09-04 23:22:20,135] INFO Server environment:user.name=parkkevin (org.apache.zookeeper.server.ZooKeeperServer)
[2018-09-04 23:22:20,135] INFO Server environment:user.home=/Users/parkkevin (org.apache.zookeeper.server.ZooKeeperServer)
[2018-09-04 23:22:20,135] INFO Server environment:user.dir=/Users/parkkevin/kafka (org.apache.zookeeper.server.ZooKeeperServer)
[2018-09-04 23:22:20,143] INFO tickTime set to 3000 (org.apache.zookeeper.server.ZooKeeperServer)
[2018-09-04 23:22:20,143] INFO minSessionTimeout set to -1 (org.apache.zookeeper.server.ZooKeeperServer)
[2018-09-04 23:22:20,143] INFO maxSessionTimeout set to -1 (org.apache.zookeeper.server.ZooKeeperServer)
[2018-09-04 23:22:20,167] INFO binding to port 0.0.0.0/0.0.0.0:2181 (org.apache.zookeeper.server.NIOServerCnxnFactory)
```

그림 A.5 **주키퍼 서버 실행 로그**

카프카 서버 기동

메시지 발행과 구독을 담당하는 카프카 서버를 기동하고, 정상 기동 여부를 확인합니다.

```
parkui-MacBook-Pro:kafka parkkevin$ ls
kafka_2.12-1.1.0          kafka_start.sh          zookeeper_start.sh
parkui-MacBook-Pro:kafka parkkevin$ cat kafka_start.sh
sh kafka_2.12-1.1.0/bin/kafka-server-start.sh kafka_2.12-1.1.0/config/server.properties
```

그림 A.6 **카프카 서버 실행**

```
[2018-09-04 23:25:20,360] INFO [GroupCoordinator 0]: Preparing to rebalance group consumerGroupId with old generation 17 (__consumer_offsets-20) (kafka.coordinator.group.GroupCoordinator)
[2018-09-04 23:25:20,370] INFO [GroupCoordinator 0]: Group consumerGroupId with generation 18 is now empty (__consumer_offsets-20) (kafka.coordinator.group.GroupCoordinator)
```

그림 A.7 **카프카 서버 실행 로그**

설정 서버 기동

깃에 등록된 프로파일 정보를 참조하기 위해 설정 서버를 기동하고, 정상 기동 여부를
확인합니다.

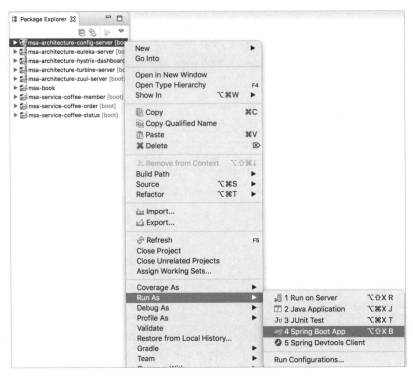

그림 A.8 **설정 서버 실행**

```
[       main] o.s.c.support.DefaultLifecycleProcessor  : Starting beans in phase 0
[       main] s.b.c.e.t.TomcatEmbeddedServletContainer : Tomcat started on port(s): 8888 (http)
[       main] c.h.m.c.s.MsaConfigServerApplication      : Started MsaConfigServerApplication in 3.334 seconds (JVM running for 4.15)
```

그림 A.9 **설정 서버 실행 로그**

유레카 서버 기동

서비스의 등록 및 감지 기능을 담당하는 유레카 서버를 기동하고, 정상 기동 여부를
확인합니다.

```
[       main] s.b.c.e.t.TomcatEmbeddedServletContainer : Tomcat started on port(s): 9091 (http)
[       main] .s.c.n.e.s.EurekaAutoServiceRegistration : Updating port to 9091
[       main] c.h.m.eureka.MsaEurekaServerApplication   : Started MsaEurekaServerApplication in 10.578 seconds
```

그림 A.10 **유레카 서버 실행 로그**

줄 서버 기동

서비스 라우팅 기능을 담당하는 줄 서버를 기동하고, 정상 기동 여부를 확인합니다.

```
[         main] s.b.c.e.t.TomcatEmbeddedServletContainer : Tomcat started on port(s): 9090 (http)
[         main] .s.c.n.e.s.EurekaAutoServiceRegistration : Updating port to 9090
[         main] com.hoony.msa.zuul.MsaZuulApplication     : Started MsaZuulApplication in 5.178 seconds
```

그림 A.11 줄 서버 실행 로그

터빈 서버 기동

마이크로서비스의 히스트릭스 스트림 메시지를 수집하기 위한 터빈 서버를 기동하고, 정상 기동 여부를 확인합니다.

```
[         main] s.b.c.e.t.TomcatEmbeddedServletContainer : Tomcat started on port(s): 9999 (http)
[         main] .s.c.n.e.s.EurekaAutoServiceRegistration : Updating port to 9999
[         main] c.h.msa.turbine.MsaTurbineApplication     : Started MsaTurbineApplication in 5.001 seconds
```

그림 A.12 터빈 서버 실행 로그

히스트릭스 대시보드 서버 기동

터빈 서버가 수집한 스트림 메시지를 시각화하기 위한 히스트릭스 대시보드 서버를 기동하고, 정상 기동 여부를 확인합니다.

```
[         main] s.b.c.e.t.TomcatEmbeddedServletContainer : Tomcat started on port(s): 9093 (http)
[         main] .s.c.n.e.s.EurekaAutoServiceRegistration : Updating port to 9093
[         main] c.h.m.h.MsaHystrixDashboardApplication     : Started MsaHystrixDashboardApplication in 5.472 seconds
```

그림 A.13 히스트릭스 대시보드 실행 로그

마이크로서비스 기동

커피 주문 마이크로서비스 기동

마이크로서비스를 기동하고, 정상 기동 여부를 확인합니다.

```
[        main] s.b.c.e.t.TomcatEmbeddedServletContainer : Tomcat started on port(s): 8080 (http)
[        main] .s.c.n.e.s.EurekaAutoServiceRegistration : Updating port to 8080
[        main] com.hoony.msa.MicroServiceApplication      : Started MicroServiceApplication in 8.036 seconds
```

그림 A.14 커피 주문 마이크로서비스 실행 로그

회원 확인 마이크로서비스 기동

마이크로서비스를 기동하고, 정상 기동 여부를 확인합니다.

```
[        main] s.b.c.e.t.TomcatEmbeddedServletContainer : Tomcat started on port(s): 8081 (http)
[        main] .s.c.n.e.s.EurekaAutoServiceRegistration : Updating port to 8081
[        main] com.hoony.msa.MicroServiceApplication      : Started MicroServiceApplication in 6.786 seconds
```

그림 A.15 회원 확인 마이크로서비스 실행 로그

주문 처리 상태 확인 마이크로서비스 기동

마이크로서비스를 기동하고, 정상 기동 여부를 확인합니다.

```
[        main] s.b.c.e.t.TomcatEmbeddedServletContainer : Tomcat started on port(s): 8082 (http)
[        main] .s.c.n.e.s.EurekaAutoServiceRegistration : Updating port to 8082
[        main] com.hoony.msa.MicroServiceApplication      : Started MicroServiceApplication in 5.847 seconds
```

그림 A.16 주문 처리 상태 확인 마이크로서비스 실행 로그

테스트 테이블 및 데이터 생성

회원 테이블 및 데이터 생성

REST API를 이용하여 테스트를 위한 회원 테이블을 생성하고, 테스트 데이터를 입력합니다.

그림 A.17 회원 테이블 생성

```
PUT ∨   http://localhost:9090/coffeeMember/insertMemberData
```

그림 A.18 회원 데이터 입력

테스트를 위한 테이블과 데이터가 정상적으로 생성되었는지 확인합니다.

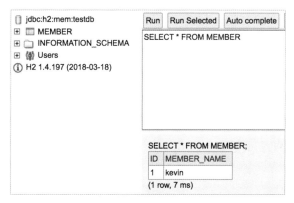

그림 A.19 **회원 데이터 조회**

주문 처리 상태 확인 테이블 생성

'주문 처리 상태 확인' 마이크로서비스에서 주문 내역을 저장할 테스트 용도의 테이블을 생성합니다.

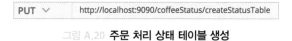

그림 A.20 **주문 처리 상태 테이블 생성**

그림 A.21 **주문 처리 상태 테이블 조회**

커피 주문

커피 주문

커피 주문 서비스를 실행합니다.

주문 처리를 위한 REST API를 지정하고, 입력값으로 '주문 번호', '커피 이름', '주문 개수', '고객명'을 입력 후 실행합니다.

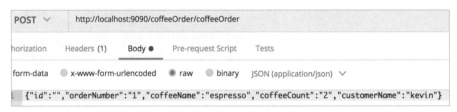

POST ∨   http://localhost:9090/coffeeOrder/coffeeOrder

horization   Headers (1)   **Body** ●   Pre-request Script   Tests

form-data   x-www-form-urlencoded   ● raw   binary   JSON (application/json) ∨

`{"id":"","orderNumber":"1","coffeeName":"espresso","coffeeCount":"2","customerName":"kevin"}`

그림 A.22 **커피 주문**

회원 확인 요청

테스트 용도로 저장되어 있는 회원인 'kevin'의 존재 유무를 확인하기 위해 '커피 주문' 마이크로서비스에서 '회원 확인' 마이크로서비스를 호출하여 회신받은 결괏값을 확인합니다.

```
},Server stats: [[Server:192.168.1.157:8081;    Zone:defaultZone;    Total Requests:0;    Successive connection failure:0;Total blackout seconds:0;
]]ServerList:org.springframework.cloud.netflix.ribbon.eureka.DomainExtractingServerList@2f9b2a2f
kevin is a member!
```

그림 A.23 **회원 여부 확인**

주문 정보 저장

주문 정보를 '커피 주문' 마이크로서비스 데이터베이스에 저장합니다.

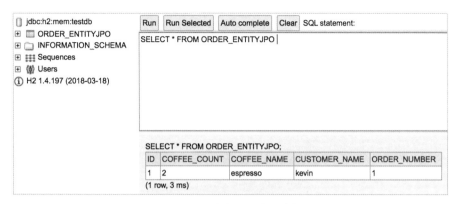

SELECT * FROM ORDER_ENTITYJPO;

ID	COFFEE_COUNT	COFFEE_NAME	CUSTOMER_NAME	ORDER_NUMBER
1	2	espresso	kevin	1

(1 row, 3 ms)

그림 A.24 **커피 주문 내역 저장**

주문 정보 발행

주문 내역을 '주문 처리 상태 확인' 마이크로서비스가 실시간으로 확인할 수 있게 큐잉 시스템으로 발행합니다.

```
2018-09-05 00:03:37.513  INFO 9785 --- [estController-1] o.a.kafka.common.utils.AppInfoParser      : Kafka version : 0.11.0.0
2018-09-05 00:03:37.513  INFO 9785 --- [estController-1] o.a.kafka.common.utils.AppInfoParser      : Kafka commitId : cb8625948210849f
KafkaProducer send data from msa-service-coffee-order: CoffeeOrderCVO(id=, orderNumber=1, coffeeName=espresso, coffeeCount=2, customerName=kevin)
```

그림 A.25 **커피 주문 내역 메시지 발행**

주문 처리 상태 확인

주문 정보 구독

'커피 주문' 마이크로서비스에서 큐잉 시스템에 발행한 커피 주문 내역을 구독합니다.

```
kafkaMessage : =====> {"id":"","orderNumber":"1","coffeeName":"espresso","coffeeCount":"2","customerName":"kevin"}
2018-09-05 00:05:51.584  INFO 9783 --- [trap-executor-0] c.n.d.s.r.aws.ConfigClusterResolver       : Resolving eureka endpoints via configuration
```

그림 A.26 **커피 주문 내역 메시지 구독**

주문 정보 저장

구독한 커피 주문 정보를 '주문 처리 상태 확인' 마이크로서비스의 데이터베이스에 저장합니다.

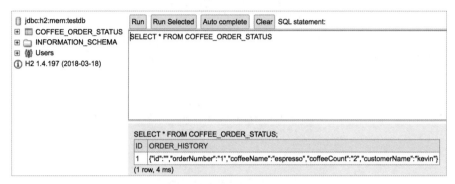

그림 A.27 **커피 주문 내역 주문 처리 상태 테이블 저장**

주문 정보 확인

커피 주문 정보를 조회하여 정상적으로 저장되었는지 확인합니다.

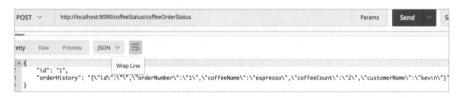

그림 A.28 **주문 처리 내역 확인**

에코시스템 조회

유레카 마이크로서비스 상태 확인

유레카에 등록되어 실행 중인 모든 서비스를 확인할 수 있습니다.

그림 A.29 **유레카 서버 마이크로서비스 상태 확인**

터빈 스트림 메시지 등록

마이크로서비스가 실행되는 시점의 스트림 메시지를 실시간으로 확인하기 위해 터빈 서버의 주소 정보를 히스트릭스 대시보드에 등록합니다.

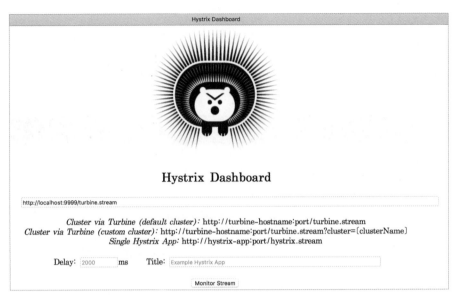

그림 A.30 히스트릭스 대시보드 설정

히스트릭스 대시보드 웹

터빈 서버가 수집하는 마이크로서비스의 스트림 메시지를 대시보드 화면을 통해 확인할 수 있습니다.

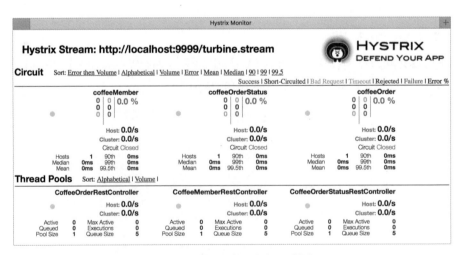

그림 A.31 히스트릭스 대시보드 확인

- 《마이크로서비스 아키텍처 구축》(샘 뉴먼 지음/정성권 옮김, 한빛미디어, 2017)
- 《마이크로서비스》(에버하르트 볼프 지음/김영기 옮김, 에이콘출판사, 2016)
- 《Azure와 도커를 활용한 마이크로서비스 구현》(보리스 숄, 트렌트 스완스, 댄 페르난데스 공저/김도균 옮김, 에이콘출판사, 2017)
- 《데브옵스 2.0 툴킷》(빅토르 파르시트 지음/전병선 옮김, 에이콘출판사, 2017)
- 《스프링 5.0 마이크로서비스(2/e)》(라제시 RV 지음/오명운, 박소은, 허서윤, 이완근 공역, 에이콘출판사, 2017)
- 《실전 스프링부트 워크북》(펠리페 구티에레스 지음/이일웅 옮김, 한빛미디어, 2017)
- 《도메인 주도 설계》(에릭 에반스 지음/이대엽 옮김, 위키북스, 2011)
- 《도메인 주도 설계 구현》(반 버논 지음/윤창석, 황예진 공역, 에이콘출판사, 2016)
- 《도메인 주도 설계 핵심》(반 버논 지음/박현철, 전장호 공역, 에이콘출판사, 2017)